D0012501

Françoise Rey

Originaire de Savoie, Françoise Rey est professeur de français dans la région lyonnaise.
Après *La femme de papier* (Ramsay, 1989), *La brûlure de la neige* (Albin-Michel, 1999) et *Nuits d'encre* (Spengler, 2003), *Métamorphoses* a paru en 2005 aux éditions Blanche.

MÉTAMORPHOSES

DU MÊME AUTEUR
chez Pocket

LA BRÛLURE DE LA NEIGE

LA FEMME DE PAPIER

LA RENCONTRE

NUITS D'ENCRE

FRANÇOISE REY

MÉTAMORPHOSES

Le sexe est un grand maître

ÉDITIONS BLANCHE

Le Code de la propriété intellectuelle n'autorisant, aux termes des paragraphes 2 et 3 de l'article L. 122-5, d'une part, que les « copies ou reproductions strictement réservées à l'usage privé du copiste et non destinées à une utilisation collective » et, d'autre part, sous réserve du nom de l'auteur et de la source, que les « analyses et les courtes citations justifiées par le caractère critique, polémique, pédagogique, scientifique ou d'information », toute représentation ou reproduction intégrale ou partielle, faite sans le consentement de l'auteur ou de ses ayants droit ou ayants cause, est illicite (article L. 122-4). Cette représentation ou reproduction, par quelque procédé que ce soit, constituerait donc une contrefaçon sanctionnée par les articles L. 335-2 et suivants du Code de la propriété intellectuelle.

© Editions Blanche, Paris, 2005
ISBN 2-266-15674-8

Il le faut avouer, l'amour est un grand maître.
Ce qu'on ne fut jamais, il nous enseigne à l'être.

C'est Molière qui le dit dans *L'École des femmes*, empruntant d'ailleurs à Corneille un hémistiche, que j'ai envie de reprendre à mon tour, en toute modestie, mais avec un rien d'irrévérence, puisque je l'adapterai :

« Le sexe est un grand maître... »

Car dans toutes les histoires qui suivent, ce grand maître-là, ce magicien, dispense ses chatoyantes révélations, éduque et mûrit, transforme, anoblit, transfigure.

« Ce qu'on ne fut jamais, il nous l'enseigne à l'être. »

Et si, au fond, le sexe et l'amour, c'était pareil ?

Le Rêve d'innocence

C'était encore le temps où l'on se souvenait que tout avait débuté par les mots. Un créateur puissant avait jeté dans l'univers le contenu fourmillant d'une énorme besace, et ce contenu s'était répandu en myriades pulvérulentes, argentées, d'étoiles... Certaines brillaient plus que d'autres, les paroles légères se paraient, en tombant, des reflets moirés du néant d'où elles étaient nées, leur éclat subtil hésitait entre absence et présence, d'autres plus lourdes, plus mates, plus violentes, chutaient comme des pierres noires, des météores qui creusaient, en arrivant au sol, leur nid tragique de paroles de poids. Au commencement était le verbe, et le verbe s'était fait chair. Chair grasse, humide, des plantes, des arbres, des animaux, chair des hommes. Chair fondante de l'eau, attirante et redoutable du feu, chair salée des plages, croûteuse des chemins, chair de bois, de granit, de sang, de neige... Tout ce qui existait avait une chair parce qu'un nom. Ce qui n'avait pas de nom n'existait pas. Les pays de l'autre côté du monde, qui n'avaient pas de nom, n'existaient pas. Il n'y avait pas de pays de l'autre côté du monde, il n'y avait pas d'autre côté du monde.

Aussi loin qu'on pouvait nommer la rive, sur le bord opposé du fleuve, la plaine derrière la montagne, et même la contrée au-delà de la mer, cette rive, cette plaine, cette contrée existaient. Ce dont on ignorait le nom n'avait pas de chair, pas de vérité. Et nul ne se serait substitué à Dieu pour inventer des termes manquants, pour baptiser l'inconnu et ainsi lui conférer la vie. Une grande terreur avait figé une fois pour toutes l'héritage des mots que l'on se transmettait de génération en génération, et le temps semblait arrêté à tout jamais pour un peuple au langage castré par la superstition. Seuls les enchanteurs, qui n'avaient peur de rien, pouvaient se permettre des formules neuves, génératrices de nouvelles réalités.

On les craignait, on les savait puissants, l'un d'eux un jour avait prononcé le mot « Dragon » et le dragon était apparu, monstre hideux conçu de la vision d'un magicien, et des deux syllabes qu'il y avait associées.

Non seulement les termes ne se multipliaient pas, mais certains s'asséchaient, qu'on évitait d'utiliser, pensant naïvement que si le mot avait engendré la chose, il suffisait peut-être d'oublier ce mot pour que la chose elle-même disparût. On ne disait pas « maladie », ni « guerre », ni « famine »... Mais l'oubli n'était pas si facile, les mots se débattaient au fond des mémoires, et la maladie, la guerre la famine continuaient d'exister, parce qu'il y avait toujours quelqu'un pour les appeler involontairement du fond d'un cauchemar, d'un souvenir, au plus chaud d'une querelle, au plus fervent d'une prière...

En tout cas, chez Pierre le Tort et Mathilde, sa femme, on faisait très attention. À ce qu'on disait, à ce qu'on devait taire. On ne parlait pas de « bosse », par exemple, même si le mot existait, même s'il les avait hantés pendant toute la période où Mathilde avait été grosse. Pierre le Tort était venu au monde avec un dos en forme de point d'interrogation, un dos qui semblait demander : « Qu'est-ce qui m'arrive ? Qu'est-ce que j'ai là ? »

Chacun connaissait la réponse, à commencer par Mathilde qui l'avait aimé, et s'était laissé aimer. Quand son ventre s'était arrondi, elle y avait promené une main tremblante, et sa belle-mère avait décrété :

— Tous les petits pointent comme ça sous la robe de leur mère. Ils donnent de la tête et du cul pour élargir leur cachette.

Mathilde avait répondu :

— C'est une petite. C'est Innocence.

Innocence était née. Un ange de perfection. Lisse et claire, et le dos plat, avant la rondeur de ses petites fesses dodues... Mathilde ne se lassait pas de la caresser, et de remercier le Seigneur, celui qui avait jeté tous les mots, tous les maux, en vrac, mais avait épargné dans sa bonté aveugle le foyer de Pierre le Tort.

Pierre, lui, était inquiet, plus inquiet peut-être que si la petite fille eût été infirme. Un malheur différé fait deux fois plus souffrir.

— Passe pour celle-là, disait-il à Mathilde. Mais les autres à venir ?

Mathilde trouva une solution simple et honnête.

— Le Bon Dieu nous l'a donnée parfaite. Nous la lui rendrons parfaite. Je le promets. Il lit dans mon cœur, il sait que je ne mens pas. À seize ans, nous la mettrons à son service dans un couvent, absolument pure et vierge. Et pour ce paiement de notre reconnaissance, tous nos autres enfants naîtront sains.

Commença l'éducation de la petite Innocence. On ne lui apprit que le nom des plus jolies bêtes, celui des fleurs, celui des parfums du printemps. On la tint éloignée des spectacles vulgaires, des laideurs de la campagne. Elle savait quelques chansons gracieuses, quelques prières, pouvait nommer les oiseaux, mais ignorait qu'il y eût des reptiles ou des araignées, ce qui demandait à sa mère une vigilance, une attention de chaque instant. Les besognes impures lui étaient évitées, elle ne nourrissait pas la basse-cour ni les cochons, était interdite de séjour partout où le lisier eût abîmé son regard, déshonoré la poésie dans laquelle on la maintenait. Des petits frères et sœurs lui étaient venus, marmaille piaillante et barbouillée, exempte de la tare redoutée, mais Innocence ne s'en occupait pas, Mathilde qui ne pouvait tous les confiner en odeur de sainteté, craignait pour sa future nonnette la contagion de leur trivialité naturelle. À quinze ans, Innocence était belle et seule, plus accablée par sa perfection qu'elle ne l'eût été d'une bosse dans son dos.

Elle n'avait pas le droit de contempler son corps, et se voyait incapable d'en nommer certaines places qu'elle devait toujours tenir secrètes... La petite recluse souvent s'étonnait :

— Pourquoi me garder ainsi à part, Mère ? Suis-je différente des autres filles de mon âge ?

— Oui, répondait Mathilde. Bien différente. Mais bientôt, tu ne seras plus à part. Bientôt, il sera temps d'honorer ma promesse, et tu te retrouveras avec beaucoup d'autres jeunes filles. Et tu ne te sentiras plus si différente.

Le jour vint où Innocence eut seize ans. L'heure de la séparation avait sonné. Mathilde avait projeté de l'accompagner au couvent de Notre-Dame-des-Vertus, à cinq heures de marche de leur village. Mais le sort en avait décidé autrement. Au moment de leur départ, Pierre le Tort tomba de l'échelle. En voulant lui fabriquer une attelle, l'aîné des garçons s'entailla cruellement la main. Et la vache se coucha sur le flanc dans des meuglements sinistres qui auguraient un vêlage épineux.

— Tu iras seule, décréta Mathilde. La route est longue mais directe. Ne regarde jamais ni à gauche ni à droite, ne t'arrête que pour les besoins de nature, ne bois que l'eau de ta gourde, ne parle à personne. Dieu te garde, mon enfant.

Innocence marcha sans rien voir d'autre que ce que sa mère lui avait appris à nommer : les myosotis, les aubépines, les mousserons, les sapins et leurs tapis d'aiguilles parfumées. Un clair soleil inondait le chemin, le cri des mésanges et des alouettes saluait son passage. Innocence n'était pas triste de quitter sa famille. Elle ignorait le mot « tristesse », Mathilde ne le lui avait pas donné, car la tristesse lui semblait une tache sombre propre à ternir l'âme limpide de sa fille. Elle ne lui avait pas donné davantage le mot « plaisir », trop frivole. Ni le mot « peur », elle la voulait confiante et douce. Ce qu'Innocence éprouva en voyant apparaître dans le sous-bois la silhouette d'un haut jeune homme aux boucles brunes, aux yeux clairs, elle ne le sut définir. Elle s'arrêta simplement, posant ses prunelles candides sur le visage inconnu et charmant, et oubliant de frissonner. Elle ne connaissait pas non plus le mot « honte ».

Sa mère avait dit :

— Ne regarde ni à gauche ni à droite.

Mais le jeune homme était devant elle. Elle avait dit :

— Ne parle à personne.

Aussi Innocence se défendit-elle d'ouvrir la bouche. Mais sa contemplation muette, intense, était plus éloquente qu'aucune parole. Silencieux lui-même, le garçon la considérait aussi, immobile, comme médusé par la rencontre. Enfin, il osa une demande :

— Qui es-tu, jeune fille ?

Innocence, pour la première fois de sa vie, se sentit déchirée. Sa mère lui avait interdit de parler à quiconque, mais lui avait aussi appris la courtoisie, et qu'à une question gentiment posée, on doit une réponse affable.

— Je suis Innocence, dit-elle, fille de Pierre le Tort et de Mathilde. Ma mère m'a vouée à Madame la Vierge des Vertus, et je rejoins le couvent où je vivrai désormais. Et vous, qui êtes-vous ?

Le jeune homme eut l'air embarrassé, et presque douloureux.

— J'ignore qui je suis, et où je vais... Je cherche quelque chose, et j'ignore quoi...

Elle sourit :

— Vous n'avez pas de nom ? Pas de but ? Vous ne savez pas ce que vous cherchez ? Vous êtes un rêve.

Il acquiesça d'un signe lent :

— Oui... sans doute. Un rêve...

Le beau rêve prit Innocence par la main, l'entraîna au profond d'un fourré, un nid douillet de mousse tendre où il la coucha avec précaution, comme si elle était très fragile. Il la pressa contre lui, écrasa sa bouche dans l'épaisse chevelure blonde, promena partout sur le doux corps vallonné de la jeune femme des mains chaudes et amoureuses en chuchotant :

— Toi aussi, n'est-ce pas, tu es un rêve ?

Innocence se sentait merveilleusement bien, lourde et légère à la fois, délicieusement séduite par les caresses de son compagnon, qui peu à peu faisaient d'elle un instrument de musique vibrant, un champ de blé sous la brise d'été. Comme un instrument, elle s'exaltait, comme une mer d'épis, elle ondulait, offerte à la joie de ce miracle, de ce rêve inattendu et divin qui la comblait en promettant de la combler plus encore. Elle ne protesta pas lorsque son cher songe souleva son jupon. Il avait des gestes d'une douceur angélique, il sépara d'une phalange délectable les deux berges de ce val qui, tout au fond d'elle et sans qu'elle en sût le nom, s'était mis à palpiter, il débusqua la source tiède, qu'elle sentait déborder... Elle avait fermé les yeux, elle ne les rouvrit que pour le voir à genoux devant elle, hagard, superbe, il tenait en ses mains un glaive de chair, un rameau soyeux et fuselé où jouait la lumière, elle comprit qu'il allait lui en faire l'offrande, et s'apprêta à sa conquête avec une heureuse résignation.

Son cri clair résonna à ses propres oreilles, comme si une autre l'eût poussé.

Un mal étrange la faisait trembler d'une impatience sans révolte, le jeune homme était entré en elle, avait percé son secret, son val sans nom, semblait hésiter, reculait pour revenir, repartait encore, elle crut l'avoir effrayé par son cri, et s'épouvanta de réveiller son rêve à l'heure même qu'il devenait éblouissant. Elle le retint des bras et des jambes, l'agrippa de ses doigts croisés à la nuque brune, l'obligea à voyager encore et encore, et enfin vaincue, terrassée d'un frisson violent, se renversa sur l'herbe dans un grand soupir convulsé.

Le jeune homme avait roulé à son côté, soupirant aussi. À présent, il semblait mort, les yeux clos, le corps abandonné. Innocence se pencha sur lui.

— C'était un joli rêve. Quelquefois, chez moi, derrière les rideaux de ma couche, j'ai commencé le songe. Mais il n'avait pas ton visage, et ne s'achevait jamais. Désormais, j'en connais la fin. Je t'appellerai souvent dans mon sommeil. Je t'appellerai mon Perceval, je te hélerai : « Perceval, reviens à moi », et tu viendras, beau doux songe, Perceval de mes rêves...

Et soudain, Perceval ouvrit les yeux, les élargit sur

le fleuve débondé de sa mémoire revenue... Il revit son enfance, retirée au fond des bois, près d'une mère aimante et qui craignait de le perdre. Il revit sa rencontre merveilleuse avec une troupe de chevaliers scintillants, magnifiques sur leurs palefrois caparaçonnés d'or :

— Mère, je veux être chevalier !

— Las, ton père et tes frères l'étaient, mon fils, ils ont tous péri de leur chevalerie. Je te gardais loin des attraits mortels de la geste et des tournois...

Il n'avait pas écouté le chagrin maternel, il s'était arraché de ses mains implorantes. Il voulait rejoindre la cour du roi Arthur, sa citadelle d'argent, ses fastes aux accents de trompettes glorieuses. Mais une halte au château du roi Pêcheur l'avait opposé à un seigneur arrogant. Dès sa première lice, il avait vaincu l'ennemi, le laissant mort sur le champ du duel, d'où lui-même s'était relevé égaré, la tête saignante et tous ses souvenirs en fuite.

Il avait couru alors, couru jusqu'à perdre haleine, misérable en ses habits de bûcheron, plus pauvre que le plus pauvre des mendiants, car il ne possédait plus aucune réminiscence, aucune histoire, ni même l'écho de son propre nom. Il n'était plus personne...

À l'instant où Innocence l'avait nommé, de son juste nom de baptême, il retrouvait la vie, renaissait à l'espoir, mais aussi aux remords, à l'amer regret d'avoir abandonné sa mère, d'avoir trahi ses vœux et son éducation. Il avait, par folie, par aveuglement de mémoire, par oubli des principes inculqués, compromis la jeune fille vouée à la Vierge, il avait abusé de sa naïveté, déshonoré son corps et son âme. Il ne serait jamais le chevalier pur et loyal qu'il s'était fait le serment de devenir...

Il parvint à l'austère manoir de Notre-Dame-des-Vertus bien avant Innocence. Il avait l'habitude de courir des lieues sans reprendre son souffle. Il agita la cloche, si fort, si longtemps que la vieille abbesse lui ouvrit enfin, bien qu'elle eût aperçu, par la meurtrière de l'huis, sa physionomie masculine. On ne recevait pas les hommes, d'ordinaire, en l'abbaye...

Il se jeta à ses pieds.

— Ma mère, pardon ! Une jeune fille va venir, une enfant, blonde et douce... Ma mère, je l'ai déshonorée, malgré moi, malgré elle, nous ne savions pas, elle m'a pris pour un rêve, et moi... Moi, je n'étais plus personne.

La vieille nonne penchait sur lui un visage perplexe, un regard compatissant.

— Tu as la fièvre, garçon !

— Non, ma mère, non, voyez ! Son sang a coulé. Il sèche encore sur mes chausses. Elle s'est laissé faire comme une biche prise. Elle croyait rêver !

— C'est toi qui rêves, mon garçon ! Il n'y a pas de sang sur tes chausses !

On examina tout de même Innocence à son arrivée. On la trouva vierge et sereine. Perceval, baptisé deux fois du même nom par deux femmes différentes, né deux fois, vit dans sa seconde naissance le miracle de la Rédemption. Il se consacra à la chevalerie, à la pureté, et à la quête du Graal, ce vase qui avait recueilli le sang du Christ. Car le Christ, comme lui, avait habité le ventre d'une femme demeurée vierge.

À DORMIR DEBOUT

Tout commence comme une histoire drôle, une de ces blagues rabâchées, éculées, réadaptées cent fois en fonction de la mémoire du rapporteur, des circonstances du récit, de l'attention du public. Vous la connaissez sans doute, tant pis, je vous la raconte, à ma manière.

Dans une petite ville d'une province reculée où l'on s'ennuie beaucoup, le patron d'un journal local réunit ses troupes pour une séance de réflexion exceptionnelle. Sa feuille de chou est en perte de vitesse, il a eu l'idée d'un feuilleton qui ressusciterait l'intérêt du lectorat. Reste à élire l'auteur de ce feuilleton, qui devra être un texte inédit, frais et dynamique, moderne dans ses préoccupations et traditionnel dans les valeurs qu'il ne manquera pas d'exalter.

— Messieurs, dit-il, je vous pense tous capables. Mais lequel d'entre vous saura insuffler à notre quotidien une âme nouvelle, lequel saura émouvoir, amuser, étonner, intriguer, passionner d'un jour à l'autre nos lecteurs désormais fidèles ? Je ne puis en décider arbitrairement. La candeur nécessaire à cette tâche, l'enthousiasme, je ne les jugerai qu'à travers une épreuve concrète. Alors voilà, j'ai décidé de stimuler votre sens de l'émulation et de défier votre imagination avec un petit concours. Vous me remettrez tout à l'heure votre copie. Sujet de la rédaction : « Mon meilleur moment dans la vie de tous les jours ». Vous avez deux heures.

On s'exclame, on s'esclaffe, on proteste, mais on finit bon gré mal gré par obtempérer, et même certains se piquent au jeu, qui tirent au-dessus de leurs bloc-notes une langue inspirée. Martin, lui, n'a pas vraiment d'idée. Rien, dans sa routine personnelle, ne lui semble digne de faire l'objet d'un essai. Au bout d'une heure de vaines cogitations, affolé par le temps perdu et la platitude de ses maigres pistes, il se résigne à un aveu sincère en même temps qu'audacieux.

« Le meilleur moment de ma petite vie de modeste journaliste, c'est celui où je fais l'amour à ma femme ». Suivent quelques paragraphes assez enlevés, presque lestes, en tout cas empreints de cette vitalité, de cette ardeur, de cet humour, de cette gaieté, de cette insolence que semble rechercher Meunier, rédacteur en chef du *Citoyen roannais*.

Le lendemain, Meunier rassemble une seconde fois son staff.

— Je tiens mon homme, déclare-t-il avec satisfaction. Martin, vous serez notre feuilletoniste !

Martin tombe de la lune. Une appréhension légitime l'empêche d'apprécier les congratulations de ses collègues : comment va-t-il annoncer à son épouse qu'il a obtenu le titre enviable de feuilletoniste du *Citoyen roannais* en évoquant leurs instants les plus intimes ?

Bien évidemment, le soir même, avant de le féliciter pour la promotion qu'il lui annonce, Bernadette lui demande ce qui la lui a value.

— Oh ! j'ai simplement répondu à la question qui devait nous départager.

— Et qui était ?

— Qui était : quel est votre meilleur moment dans la vie de tous les jours ?

— Et qu'as-tu dit ?

— J'ai dit : c'est... quand je suis à la messe.

Nous passerons sur la réaction de franche hilarité de Bernadette Martin.

Le samedi suivant, Gérard Meunier, qui tient à faire les choses en grand, invite ses journalistes au cocktail de lancement du fameux feuilleton. Ces dames sont bien entendu conviées, surtout, a-t-il finement insisté, Madame Martin qui sera en quelque sorte la marraine de l'entreprise. Lorsqu'elle arrive, très en beauté ce soir-là, Meunier se précipite, la salue avec une galanterie à peine goguenarde.

— Voici donc, dit-il, la charmante Madame Martin, muse de notre feuilletoniste !

Tandis qu'il s'incline en gentilhomme sur son poignet, Bernadette éclate de rire.

— Ah ! fait-elle, vous vouliez un écrivain à l'invention fertile, à la fantaisie débordante, vous avez bien choisi !

Et comme il la regarde avec surprise, elle ajoute :

— Vous savez, ce qu'il vous a confié, dans sa rédaction, son prétendu meilleur moment... Eh bien, je peux vous assurer que ça ne lui est arrivé que trois fois dans sa vie ! La première, c'était pour notre mariage. La seconde, il est sorti avant la fin. Et la troisième ! Ah ! la troisième, il s'y est endormi !

La blague devrait s'arrêter là, sur cette chute en forme de quiproquo qui nous invite à imaginer les prunelles ahuries de Gérard Meunier face à l'extravagante confidence de la jolie Bernadette. Mon histoire à moi continue, et même elle gagne tout son sel à partir de ce moment précis où le patron du *Citoyen roannais* croit avoir entendu, sous l'aveu déguisé en boutade, un drame que lui-même a vécu. Et dont son âme écorchée n'est pas encore vraiment cicatrisée.

— Endormi, dites-vous ? Vraiment ?

— Je vous le jure ! Endormi en plein...

— Et qu'avez-vous fait ?

— Ma foi, j'ai fait semblant de ne pas m'en apercevoir. C'était plus simple, non ?

Dès le lundi, Meunier convoque Martin dans son bureau, dont il referme la porte avec des airs de conspirateur bienveillant.

— Mon vieux, commence-t-il, je dois vous parler. D'abord, détendez-vous.

Il vient de lui désigner un des profonds fauteuils qui font face à sa table, mais se reprend aussitôt :

— Non, suis-je bête, ne vous détendez pas, restez debout, ça vaut mieux, n'est-ce pas ? Un café ? Oui, un café, un double, bien fort. Je suppose que ce n'est pas le premier ce matin... Voilà, j'ai réfléchi, longtemps, j'ai bien analysé votre texte, votre superbe texte, vous savez celui qui décrit avec une belle flamme vos relations amoureuses, et cependant conjugales. Comment n'ai-je pas été alerté plus tôt ? C'est tellement flagrant. Il dénote une telle souffrance ! Croyez-moi, j'y suis passé aussi. Je comprends, je comprends tout. Et Madame Martin, oh ! sans vouloir vous trahir le moins du monde, vous pouvez en être sûr, a laissé transparaître votre désarroi, sous une bonne humeur très élégante. Elle m'a dit... enfin, laissé entendre, moins que ça même, elle a à peine, à peine suggéré... Bref, mon intuition, ma réceptivité m'ont permis de deviner votre tragédie. J'ai vécu la même. Je veux vous aider, vous dire « Courage ! On guérit ! Un jour, on se réveille, et là, là, c'est une seconde naissance, un éblouissement, tout est neuf, enivrant, captivant. Tout vaut la peine d'être goûté, d'être vu, à pleins yeux, paupières béantes. Faites-moi confiance, Martin, si vous suivez mes conseils, vous ne vous endormirez plus, plus jamais sans l'avoir désiré ! ! ! »

Martin debout, acculé au bureau du chef, serre dans sa main le café brûlant que son interlocuteur lui a servi d'autorité, et tâche de rassembler à toute vitesse ses esprits. Son air immensément perplexe, ses yeux arrondis, ses mouvements de bouche qui l'apparentent à une race pisciforme, achèvent d'induire l'autre en erreur.

— Oui, Martin, vous luttez ! Je vois bien que vous luttez, vous avez tellement sommeil ! Écoutez-moi, écoutez bien, pincez-vous si vous vous sentez partir... Quand vous quitterez cette pièce, vous serez un autre homme, j'espère...

Et tandis que Martin, de plus en plus effaré, multiplie ses mimiques de poisson-lune, Meunier se lance dans un récit surréaliste.

— Mes parents ont d'abord remercié le ciel de leur avoir donné un bébé à l'heureux tempérament. À quinze jours, je faisais déjà mes nuits, et ma mère était obligée de me secouer pour me faire prendre la tétée du matin. Puis je me rendormais pour la moitié de la journée, qu'un second repas venait ponctuer. Une nouvelle sieste m'amenait jusqu'au soir et, là encore, on multipliait les astuces pour m'entrebâiller les yeux et la bouche. Je ne grossissais pas vite, mais on s'accommodait de ma maigrichonne constitution pour ce revers consolateur : on ne m'entendait jamais. À l'âge de l'école maternelle, une institutrice s'est étonnée de ce que je passe le plus clair de mon temps la tête enfouie entre mes bras croisés.

— Cet enfant a un problème, une timidité exacerbée,

un refus de la société, que sais-je, dit-elle à ma mère qui, avec une légèreté qu'excusait la seule ignorance, répondit en riant :

— Mais non, il dort !

Voilà à quoi s'est résumée ma scolarité : une longue hibernation dans mes coudes repliés, à même le bois des pupitres. Parfois, un maître mal résigné à mes torpeurs m'obligeait à garder la nuque raide, le regard clair. Il croyait alors vaincre mon inertie, se trompait à la fixité de mes prunelles, pensait y lire de l'intérêt, de l'attention, quand je ne faisais que dormir les yeux ouverts. Point trop bête cependant, j'assimilais vite le peu des leçons que mes endormissements intempestifs, clandestins ou flagrants me permettaient de suivre. Et ce n'est qu'à partir de la terminale que mes parents, convoqués, finirent par réaliser l'ampleur de mon handicap. Je piquais alors du nez cent fois par jour sur mes cahiers, et le mot favori des enseignants était « Meunier, tu dors ! » La rengaine était devenue mon surnom, ma carte d'identité, on me la chantonnait partout, dans la cour, les couloirs, les escaliers, où il m'arrivait de m'asseoir pour un roupillon entre deux paliers. Un médecin consulté en diligence, deux mois avant le bac, me prescrivit des amphétamines, grâce auxquelles je pus travailler à peu près normalement, obtenir l'examen et envisager un cursus d'études littéraires recommandées par un professeur de lettres plus naïf que les autres. Abusé par mes langueurs, il me disait romantique et sensible, alors que je n'étais qu'engourdi, et interprétait les douloureuses crispations de mes muscles faciaux luttant contre le sommeil comme une amertume chronique, une attente toujours déçue, digne d'un Chateaubriand.

— *Levez-vous vite, orages désirés !* me récitait-il, et

je restais pensif à cette seule injonction : « Levez-vous vite ! »

Moi à qui il avait toujours fallu une bonne heure chaque matin pour émerger des brumes de mes longues nuits et gagner, tant bien que mal, une station verticale suffisamment stable et une lucidité à peu près normale.

Cahin-caha, je bouclai mes deux premières années de faculté. La troisième, celle de la licence, me fut fatale. Dès la rentrée d'octobre, je me heurtai à une cruelle désillusion : il m'était impossible, absolument impossible de suivre les cours de l'auto-école où je m'étais inscrit. Les séances d'initiation au code, basées sur la projection de diapositives, exerçaient sur moi un irrésistible pouvoir soporifique, et je tombais littéralement à la troisième image. Il est vrai que jusqu'alors, je n'avais jamais pu connaître ni la fin ni même le milieu d'un film ou d'une émission télévisée. Les écrans m'hypnotisaient invariablement, et je n'allais plus au cinéma depuis longtemps, car, comme le disaient mes parents, c'était cher payé pour dormir deux heures dans un fauteuil. J'expliquai mon problème au moniteur qui se résolut à m'apprendre le code sur le tas, aux commandes d'un véhicule. Là encore, fiasco absolu. Malgré toute ma bonne volonté, et mon désir ardent d'obtenir le permis, je m'endormais aussi au volant. Il suffisait d'un feu rouge un peu long, d'un embarras de circulation, et mon initiateur me voyait dodeliner, puis, le menton sur le sternum, entamer un somme qui ne manquait pas de l'estomaquer. Il n'était cependant pas homme à renoncer trop vite ; avec une modestie et une capacité à se remettre en question qui l'honoraient, il se crut responsable de mes coups de pompe, et, pensant qu'il ne me motivait pas assez, m'attribua pour monitrice une toute jeune recrue de son entreprise, mignonne à souhait, fort piquante et sachant mettre en valeur, dans des cotonnades ajustées, les attributs généreux dont la nature l'avait dotée. Quand elle s'installa pour la première fois à ma droite dans la voiture pilote, j'arrondis un instant les prunelles sur l'émouvant relief qu'elle s'employait à juguler d'une ceinture de sécurité un peu courte, et m'adonnai à un rêve éveillé, un double rêve, celui de deux volumineux oreillers confortables à souhait qui m'invitaient au repos. La jolie formatrice mit peut-être trente secondes de trop à m'adresser la parole, trente secondes pendant lesquelles je plongeai dans un profond sommeil extasié, peuplé de voluptueuses tentations... Et soudain, je me réveillai sous la douleur, la divine créature venait de m'empoigner aux cheveux, elle m'en avait même arraché une touffe... Seule la terreur de me voir scalpé eut définitivement raison de mon égarement. Le crâne en feu, j'articulai péniblement quelques protestations embarrassées, quand la fille me lâcha, ouvrit sa portière et s'enfuit. Plus tard, on m'expliqua que je m'étais rué sur ses seins, que j'y avais enfoui mon visage, et que j'avais mordu au petit bonheur dans le moelleux de cette chair abondante. Je n'avais aucun souvenir de cette agression, et doutais fortement du témoignage de ma belle plaignante. Mais, en gentilhomme, je m'excusai tout de même, ce qui ne me fit pas réintégrer pour autant les rangs des disciples de l'auto-école dont on m'avait signifié mon congé. Quand j'appris qu'on ne voulait plus de moi, et même que l'on me rendait l'argent que j'avais avancé pour les cours, un sale blues me tomba dessus. Je rentrai chez mes parents, où j'habitais toujours, me ruai sur le frigo et me mis à avaler absolument tout ce que je pus trouver. Tout, vous m'entendez, Martin ? Vous me suivez toujours : vous ne dormez pas ? C'est bien, mon petit ! Buvez, reprenez un café !

Ma mère me découvrit allongé dans la cuisine au milieu des emballages et des pots vides. J'avais mangé jusqu'à la boîte de pâtée du chien et, ce qui mit le comble à son horreur, son masque de beauté au placenta qu'elle gardait au frais. Le docteur mandé d'urgence parla de boulimie suicidaire et de syndrome dépressif, sans pouvoir vraiment m'interroger puisque, alité grâce aux bons soins de deux voisins, je dormis soixante-douze heures, d'un sommeil de plomb dénué de toute réaction.

Au bout de ces trois jours de coma, je finis par refaire surface. Comme pour ce qui concernait mon raid sauvage sur les airbags de la pulpeuse monitrice, je n'avais aucune mémoire de mes féroces déprédations dans le garde-manger parental. Mais, comme j'avais l'air, pour une fois, assez frais et dispos, l'on me crut remis d'une crise bénigne autant que passagère que l'on m'encouragea à oublier bien vite. Comment oublier ce dont on ne se souvient pas ? En toute logique, c'est le contraire qui m'advint, car à force de me triturer la cervelle pour retrouver fût-ce l'ombre d'une réminiscence, je donnai à mes fantomatiques errances passées une consistance, une lourdeur, une intensité dérangeantes d'abord, puis très vite, obnubilantes.

Pour tout dire, j'avais peur d'une récidive. À partir de là, ma vie devint un enfer. Je ne pouvais m'empêcher de m'endormir n'importe où, et n'importe quand, mais désormais mes plongées étaient irrémédiablement accompagnées de visions effarantes, réalistes à hurler, et d'ailleurs je hurlais, me tordant avec conviction devant l'assaut d'un rhinocéros furieux ou au contact d'un nœud de vipères grouillant sur mes jambes !

— Toujours ces cauchemars ? demandait ma mère qui intervenait aux premiers cris, quand les accès me saisissaient au lit.

Hélas, ils m'advenaient aussi sur les bancs de la faculté, ou dans les transports en commun. Là, personne n'osait me toucher, me parler, on s'éloignait de moi avec épouvante, on n'essayait même pas de me réveiller, d'ailleurs, je me réveillais tout seul à mes propres clameurs, mais me trouvais incapable du moindre geste, de la moindre parole qui eût témoigné de la clarté de ma conscience. Je me vis à deux reprises emporté sur un brancard, une autre fois, l'équipe du SAMU arriva sur les lieux de mes gesticulations oniriques avec une camisole de force. Je revins à moi au moment où l'on me saucissonnait, ne pus ni protester ni me débattre, et atterris aux urgences d'un hôpital psychiatrique.

Vous pensez, Martin, que je touchais le fond ? Patience, point encore. Mon calvaire était loin de son apogée. Et même, je connus dans cet hôpital une sorte de rédemption, un état de grâce et d'apaisement, hélas provisoire, qui me fit éprouver, plus cruellement encore, les nouveaux développements de ma maladie. On m'observait beaucoup, on m'interrogeait, on me radiographiait, on me scannait, et surtout, on me shootait pour éviter de nouvelles hallucinations, puis on me dopait pour me réveiller, on me droguait encore pour anesthésier les angoisses toutes naturelles que me valaient mon internement et les inquiétudes de ma famille. Je n'étais plus moi-même, j'oscillais entre des sommeils artificiels et des veilles plus artificielles encore, voguais à longueur de nuit, flottais à longueur de journée, quand je rencontrai Marinette.

Marinette était une petite aide-soignante, jolie comme

un cœur, toujours souriante et gaie. À travers les brouillards de ma pauvre condition de perpétuel ahuri, je notai que ses formes n'avaient rien à envier à celle de la monitrice d'auto-école, qu'à ce qu'il paraît j'avais traumatisée et dégoûtée à jamais de la profession. En tombant le soir dans les vertigineux abîmes de la sédation quotidienne, j'avais maintenant deux bouées de sauvetage où me raccrocher, le double fantasme des seins de Marinette, tendus sous sa blouse, et que j'empoignais pour le grand plongeon. Bouées certes, et bien davantage encore, bonbonnes d'oxygène pour le noyé que j'étais, montgolfières où arrimer mon envol, et de grenouille je devenais oiseau, m'élevais dans les airs, blotti entre ces ballons douillets qui me comblaient d'une béatitude confinant à l'extase. Finies les visions cauchemardesques et les hallucinations horrifiques, je m'endormais heureux et me réveillais plus heureux encore, quoique bien humide, puisque je le confesse à ma grande honte, les songes maritimes puis aériens que peuplait le magnifique carénage de ma déesse me tiraient des larmes d'émotion que ne versaient pas seulement mes yeux.

Vint le jour, le grand jour, où j'osai laisser entendre à Marinette qu'elle m'était assez sympathique. Sa réponse, simple et directe, eût dû m'époustoufler, elle m'enchanta :

— Moi aussi mon lapin, dit-elle, j'ai bien envie de toi ! Ce soir, ne prends pas tes cachets roses, je viendrai dans ta chambre à dix heures !

Les délices de la première surprise passées, je me mis tout de même à cogiter, puis à ruminer, à supputer, craindre, envisager, espérer, redouter, extravaguer... La visite annoncée, en me ravissant, me terrifiait, car, je dois l'avouer, j'étais encore et plutôt incongrûment pour un garçon de vingt et un ans, tristement puceau.

D'exaltantes perspectives en troublantes appréhensions, la journée s'étire, et vingt-deux heures sonnent. Comme elle me l'a recommandé, je me suis abstenu du traitement qui me procure chaque soir une léthargie bienheureuse, et je l'attends, le cœur battant, les mains moites, les dents brossées, les aisselles parfumées et ma raie sur le côté vérifiée dix fois. Soudain, tout va très vite, comme dans un film. La porte s'ouvre, elle entre sur une joyeuse pirouette feutrée, le doigt sur la bouche, elle m'ordonne un silence que je ne songeais pas à briser, et chuchote, terriblement mutine :

— Regarde !

Sous la blouse qu'elle quitte prestement, elle est nue, absolument, merveilleusement nue, à un détail près : une ceinture dorée à boucle de strass souligne sa taille et la ponctue d'un éclat de bijou. D'un geste charmant, elle s'en défait, la pose sur le dossier de ma chaise, et avance vers moi. J'en suis encore à exécuter quelques mouvements de bouche parfaitement stériles, puisqu'aucun son ne parvient à franchir mes lèvres, qu'elle ouvre déjà mes draps et s'y glisse avec une aisance de sirène. La voilà sur moi, chaude et souple, ondulante, ses jambes étreignent les miennes, ses bras se nouent à mon cou, tout son merveilleux corps est une caresse enveloppante et si persuasive, si suggestive, à travers l'étoffe de mon pyjama, je perçois le poids, le volume, la densité, la rondeur, la fermeté, la suavité, la perfection des deux aéronefs qui me transportent chaque soir au pays de la volupté ; je ne sais plus retenir ni mes mains, ni ma bouche, ni l'élan prodigieux de mon désir, qui s'insurge sous son ventre adorable, tout va bien, tout va très bien, tout va mieux, de mieux en mieux et... et je m'endors ! Vous entendez, Martin, je m'endors ! ! !

L'inimaginable est advenu, le terriblement désolant, la déception inouïe, la frustration suprême... Mon réveil du lendemain, alors qu'un infirmier me secoue pour que j'avale les cachets du matin, a un affreux goût de cendre. Je ne peux prétendre avoir rêvé, la ceinture dorée est restée là, sur ma chaise, l'étincelle narquoise de sa boucle me blesse la rétine et désole ma mémoire. Toute la journée se passe à frissonner d'une honte rétrospective, d'une crainte penaude : que faire, que dire, quand je reverrai Marinette ? D'ailleurs, la reverrai-je ? J'en arrive à me figurer que l'aventure l'a si fort vexée qu'elle se débrouillera désormais pour m'éviter. La trituration masochiste de mon regret me conduit à une tentative d'explication à vague relent psychanalytique. Je me suis si souvent endormi en pensant à elle, à ses atours que j'ai dû me conditionner. Le réflexe qui fonctionnait dans un sens : je m'endors, je la vois, a fonctionné hier soir à l'envers : je la vois, je m'endors. C'est navrant de logique, et guère encourageant. À supposer que Marinette, par un effet extraordinaire de sa bonté, consente à réitérer sa galante entreprise, il n'est pas douteux que l'affaire avortera de la même manière. D'où cette conclusion qui s'impose à moi : il est indispensable et urgent que je me déconditionne ! ! !

Les heures qui suivent sont sans doute les plus loufoques de ma vie, et il est heureux qu'aucun membre du personnel hospitalier ne m'ait surpris en plein rite conjuratoire, j'eusse été bon pour quelques mois d'internement supplémentaires, puisque le cérémonial consistait à prononcer à haute voix le prénom de Marinette en fermant les yeux pour bien la représenter, et quand mon esprit l'avait dessinée, recréée, qu'elle s'imprimait en relief (et quel relief !) sur l'écran de mes paupières serrées, je me piquais le gras de la cuisse avec une aiguille subtilisée à un soignant, ce qui ne manquait pas de me procurer une fulgurante douleur, avec la certitude rassérénante que je ne dormais pas. J'ambitionnais un processus d'association nouveau : « Marinette égale alarme, et donc, veille assidue ».

Le soir même, je sentis que je n'étais pas haï du destin, car à dix heures tapantes, Marinette ouvrait ma porte... J'avais une bombe dans la poitrine, une grenade en guise de pomme d'Adam, et l'espoir fou que ma tachycardie me sauverait du sommeil, si ce n'était mes pitoyables essais d'apprenti psychanalyste et d'auto-hypnotiseur. Cette fois, j'eus le temps de poser des phalanges extasiées sur les planètes de mes rêves... Comme Neil Armstrong le jour où il esquissa le premier pas sur la lune, je me sentis enthousiaste, léger, héroïque, terriblement bouleversé, terriblement fier et modeste à la fois, et toute cette émotion, cette ivresse, cette fringale contradictoire, cette envie de conquête et de recueillement, ce désir fou de prendre et de donner, de vivre et de mourir, de courir, de sauter et de m'allonger là pour savourer ma victoire, de hurler et me taire, tout ce tourbillon d'allégresse et cet ébahissement de gratitude eurent raison de mes misérables résolutions, de mes misérables parades, et je m'endormis encore !

À l'amertume du réveil du lendemain se joignit la désolante évidence qu'il me fallait renoncer à l'espoir de posséder jamais Marinette, peut-être même à celui de posséder quelque femme que ce fût. Je resterais désespérément puceau, j'étais un handicapé du désir, un marginal de la libido, un amputé de la concrétisation, un estropié du passage à l'acte, un impuissant de la conclusion, un damné de l'amour, un monstre... Jamais malgré l'amplitude de mes espérances, l'insolence de mes émois, vous me suivez, Martin, le dynamisme de mon élan et la raideur de mon appétit, jamais je ne pourrais connaître la merveilleuse effraction, la divine initiation, le somptueux voyage qui m'admettrait au plus doux d'un corps de femme, m'y bercerait, m'y enivrerait, m'y conduirait de courses échevelées en étapes grandioses, vers la félicité de devenir enfin un homme, que dis-je, un dieu, faiseur de pluie en des rivages où l'on bénirait mes dons. Mes ondées resteraient solitaires, mes orages amèrement imaginaires. Le fatidique sommeil, qui me procurait des songes flamboyants, me castrerait inéluctablement si j'étais avec Marinette, ou, je le pressentais tragiquement, avec n'importe quelle autre femme. Il était mon maître, jaloux autant que possessif, me voulait à lui seul, entendait régner sur mes plaisirs, s'offusquait de mes velléités d'évasion, me condamnait à d'onanistes envolées, à des joies d'ermite, à des leurres de captif... Mon histoire était douloureuse et suffisamment hurluberlue pour que je me sente une destinée hors du commun, et, tel un Robinson échoué, un naufragé en terre inconnue et déserte, je commençai par me tracasser les méninges pour élaborer un moyen de communication avec le reste de l'humanité, l'ensemble des heureux humains de l'autre côté de mon océan de disgrâce, qui jouissaient normalement, imbriqués les uns dans les autres, dûment assemblés, clivés comme les pièces d'un puzzle prévu, emboîtés et qui ne connaissaient pas leur chance et qui peut-être ne la savouraient pas. Sur ce lointain rivage, la première personne qu'il me fallait joindre, par pure courtoisie, était Marinette. Je déambulai dans les couloirs jusqu'à la trouver, occupée à des distributions de tisanes. D'un signe discret je l'attirai dans un coin et me lançai dans un discours fiévreux, confus, sûrement incompréhensible tant à cause de son incohérence que du registre choisi, un chuchotement à la limite de l'inaudible.

— Quoi ? Qu'est-ce que tu racontes ? demanda à haute, claire, et affreusement intelligible voix une Marinette que la surprise ne privait pas de charme, qui arrondissait les yeux, levait les sourcils, et avançait des lèvres interrogatives dans une mimique voisine du baiser. Qu'est-ce que tu dis ? Je comprends rien ! Pourquoi désolé ? Tu t'excuses ?

Elle éclata d'un rire sonore qui me crucifia, je craignais qu'on ne l'entendît de toutes les chambres du corridor, et que l'on apprît mes déboires d'amoureux apathique. Je tentai de la ramener à une tonalité plus raisonnable, mais elle protesta dans une exclamation claironnante et spontanée :

— Mais non, gros nigaud, t'excuse pas ! C'est le pied au contraire ! Le top !

Le pied ? Le top ? Mon air perdu l'apitoya, et elle se laissa convaincre de me suivre à l'abri des oreilles indiscrètes, c'est-à-dire dans une salle d'infirmerie isolée et vide dont elle ferma la porte pour mieux m'asséner l'incroyable : je représentais pour elle une sorte d'idéal masculin, loin des autorités du macho, des tics du séducteur, des manies, des fragilités, des inconséquences, des égoïsmes, des décevantes manœuvres de tous ses partenaires passés... J'étais toujours prêt, tel le scout, demeurais efficace et disponible aussi longtemps qu'elle le désirait, lui permettais des joies réitérées, des fantaisies personnelles, offrant une docile souplesse à me laisser disposer, en même temps qu'une appréciable rigidité dont elle profitait au-delà de tout ce qu'elle avait jusqu'alors connu. L'aveu me sidéra.

— Mais moi, bredouillai-je tout de même, je ne sens rien !

— Eh oui, dit-elle. Et justement ! Et tant mieux ! Si tu sentais, ça n'irait pas si bien. Pas si longtemps !

— Mais, Marinette, ça ne t'embête pas de faire l'amour avec quelqu'un qui ne dit rien ?

— Parce que tu crois que les autres parlent ? À part ceux qui disent des cochonneries. Je n'ai rien contre les cochonneries, précisa-t-elle, mais il faut qu'elles tombent à pic ou qu'elles correspondent à ce que j'ai dans la tête ? Ça n'arrive jamais. Sauf avec toi. Avec toi, c'est moi qui parle, c'est moi qui te dis des cochonneries.

L'abasourdissement et le regret me faisaient tourner la tête.

— Tu me dis des cochonneries ? Mais je n'entends rien, moi !

— C'est pour ça que je me lâche.

— Marinette, tu te rends compte de ce que tu fais ? Tu viens dans ma chambre en sachant que je m'endors à la première minute de notre... disons rencontre...

— La première fois, je ne pouvais pas le prévoir, coupa-t-elle.

— Oui, mais après ?

— J'ai été si contente de cette première fois-là que, le lendemain, j'espérais que tu t'endormirais encore. Et, si tu veux bien, je reviendrai souvent.

Le désarroi et la tristesse le disputaient en moi à une sorte de peur tout à fait inattendue.

— Marinette, je suis donc un homme-objet, pour toi ?

— Oui, dit-elle simplement.

— Et si un soir je ne m'endors pas ?

— On verra. Mais je n'ai pas trop envie que tu

deviennes comme les autres, bien réveillé et donc, pour tout dire, pas forcément un bon coup.

— Je suis un bon coup comme un mannequin quoi, un godemiché, c'est désobligeant.

— Non, mon chou. Tu es là, bien vivant, bien chaud, ta petite gueule à croquer répond aux bisous, tes paupières palpitent, ton ventre respire, tu acceptes tout sans protester, sans crier au danger, sans exploser, mais tu participes, tu me touches même, tes mains se recueillent où je les pose, je te cause et tu soupires, je te touche et tu frissonnes, je te chevauche et tu bandes, inépuisablement... Que demander de mieux ?

Voyez-vous bien, Martin, tout le dramatique de cette situation ? Ma maladie, car c'en était une, loin de me maintenir puceau, comme je l'avais redouté, me conférait au contraire des charmes imprévisibles et des pouvoirs inespérés, m'ouvrait le domaine fabuleux de l'érotisme féminin, me hissait sur le piédestal de la gratitude, de l'éblouissement de Marinette, et pourtant, je n'en tirais aucun bénéfice, perdant connaissance avant les étreintes, et n'en conservant nulle mémoire. J'étais mon propre rival, terriblement jaloux, une foi éveillé, de mon double endormi qui avait profité des dévergondages de la drôlesse et les gardait pour lui. Il y a pourtant des rêves qui laissent, sinon des souvenirs précis, du moins des traces qui, pour fumeuses qu'elles eussent pu être, eussent au moins apaisé ma rancœur. Hélas, j'avais beau me creuser la cervelle à longueur de journée, rien absolument rien ne me restait des festivités de la nuit. Ce n'était pas faute pourtant de réitérer l'expérience, à la grande satisfaction de Marinette qui portait sur son visage une félicité et un épanouissement de plus en plus radieux, preuves incontestables de mes prouesses inconscientes. Ou plutôt des prouesses de l'autre, le gisant, le traître, le salopard que je portais en moi et qui me volait l'amour et le plaisir de Marinette. J'étais à deux doigts, Martin, du dédoublement pathologique, de la schizophrénie, pour donner un nom savant à mon obsession.

En fait de nom savant, un nouveau docteur entra un jour dans ma chambre et en prononça tout un chapelet, qui, pour moi, équivalut à un psaume en chinois mandarin. « Monsieur Meunier, me dit-il, j'ai beaucoup étudié vos symptômes et ce qui, jusqu'ici, est passé pour une hypersomnie idiopathique. Nous avons des données récentes plus explicites, et je penche en faveur d'un diagnostic complémentaire, celui d'une forme de narcolepsie cataplexie, autrement connue sous l'appellation de "maladie de Gélineau". Je vous propose donc un traitement à base de Morphex qui devrait nous aplanir déjà pas mal de difficultés... » Ce docteur avait une bonne tête, nonobstant son jargon d'initié. J'osai m'ouvrir à lui du seul problème qui me hantait, mon incapacité totale à rester éveillé dès que la femme dont j'étais amoureux s'étendait nue contre moi.

— Classique, fit-il en hochant une mine renseignée. Cataplexie... Chute du tonus en cas de vive émotion... Morphex ! vous dis-je : 300 mg par jour, pour commencer. On augmentera si nécessaire.

Ah ! Martin ! Ce savant-là connaissait sa partie ! Je me sentis mieux dès le premier jour du traitement, et le surlendemain, j'étais métamorphosé. Marinette était en congé, j'attendais de pied ferme, si l'on peut dire, son retour pour tester la fiabilité du miracle accompli. Quand elle franchit ma porte, fraîche et gaie comme à son accoutumée, elle eut la stupeur de découvrir en face d'elle un jeune homme également frais et gai, un vrai gardon frétillant dans ses draps, nu et pressé, l'accueillant d'un geste large pour ouvrir son lit.

— Quoi ? dit-elle. Déjà déshabillé ? D'habitude, c'est moi qui te déboutonne !

Il me sembla qu'elle boudait un peu. Ce qui n'altéra en rien son aptitude à se lover contre moi, telle une couleuvre sensuelle. Je tremblais à la fois d'une exaltation bien compréhensible, et d'une anxiété tout aussi légitime. Pour la première fois de ma vie, je sentis mes mains s'envoler, mes bras se refermer sur une chair douce et tendre, ma bouche s'enfouir au creux d'émouvants vallons, le petit berceau d'une clavicule chatouilleuse, le dessous d'une oreille frémissante, sertie dans son écrin de mèches soyeuses, que je tiraillais à pleines lèvres, comme un cerf broute la ramée printanière. Un cerf, vous m'entendez, Martin ? La comparaison ne s'arrête pas à ma gourmandise des feuillages de Marinette, je pourrais filer la métaphore, mais j'épargnerai votre pudeur, je sens que vous m'avez compris : ma jolie biche avait de quoi cramponner ses émois et asseoir ses rêves, et moi, éperdu de bonheur, le visage plongé entre ses trésors qui m'avaient procuré tant d'endormissements béats, je la respirais avec ivresse et j'exultais, car le prodige perdurait. Tout à mon exaltation, je tâchais cependant de me contraindre au calme et de juguler en moi le tourbillon passionné qui m'aurait poussé, que dis-je, propulsé au cœur de ses mystères, beaucoup trop vite et trop brutalement à son gré. J'avais retenu de ses confidences qu'elle était en quête de temps et de liberté de mouvement. Je la laissai donc mener la danse, tout en continuant à me délecter de son contact, de ses parfums et de chacune de ses initiatives. Ma sagesse fut bientôt récompensée car je la sentis soudain bouger d'autre façon, elle était toujours cette rivière tiède sur moi, mais une rivière désormais double, séparée autour d'un éperon que j'aurai la vanité d'appeler rocheux et, ses genoux à mes hanches, ses deux jambes au long de mes cuisses m'incitaient à imaginer follement leur confluent merveilleux, leur carrefour paradisiaque... D'une menotte plus qu'avisée, elle assura sa prise et se trouva sur le point d'assouvir ma brûlante curiosité. J'allais enfin connaître la volupté d'habiter son ventre, de butiner au cœur de la rose, de m'embraser au profond du volcan, je ne dormais toujours pas, j'étais loin, bien loin d'avoir sommeil, jamais je ne m'étais trouvé aussi alerte, aussi vaillant, aussi frénétique, quoique délibérément immobile, jamais je n'avais été aussi vivant, aussi fervent, aussi impatient, j'étais l'homme le plus heureux, le plus comblé du monde, par la grâce de cette beauté qui ondulait sur moi et se disposait à m'accorder son accueil le plus cordial. Et c'est là, Martin, que je commis une erreur effarante : je ne pus retenir les mots d'amour qui gonflaient en moi depuis si longtemps, et pourtant héroïque à contenir mes gestes et ma fougue, stoïque à retarder l'explosion qui eût ruiné notre vraie première nuit, je cédai lamentablement à cette poussée que je croyais innocente, à cette incontinence verbale dont je ne voyais pas le danger, et je me mis à babiller ma tendresse et ma joie et me lançai dans une longue plainte heureuse en l'appelant « ma chérie », « ma princesse » et « mon amour »... Le résultat, calamiteux, ne tarda pas. Elle sauta sur ses pieds en même temps qu'une exclamation incrédule et horrifiée s'étranglait dans sa charmante gorge :

— Quoi ! Tu ne dors pas !

Puis elle chercha, avec des gestes désordonnés qui signaient son désarroi, sa blouse, qu'elle entreprit d'enfiler tandis que je tentais vainement par des prières, des essais de caresses, des demandes d'explications, à la retenir, à la ramener au point délicieux où nous en étions restés.

— Non, non, dit-elle. Je ne peux pas. Je ne pourrai pas. Tu ne comprends pas ? C'est comme si je te trompais...

Et elle s'enfuit, m'abandonnant à ma douloureuse perplexité, à mon découragement, à ma frustration.

À cet instant, Martin, j'aurais pu devenir fou. Avouez qu'il y avait de quoi. Or le Morphex, Martin, est un remède formidable à plus d'un titre. Il exacerbe notamment la lucidité, je dirais même l'ingéniosité. Non seulement je ne m'endormais plus n'importe quand et n'importe où, mais, éveillé, j'étais vif et astucieux. Je retrouvai suffisamment de pêche pour qu'on me permît de rentrer chez moi, ce que je fis en ayant eu le bon réflexe de ne pas chercher à revoir Marinette. Je repris mes études avec, je dois le dire, un certain brio. Entrer dans une école de journalisme, y faire mes preuves ne me fut qu'une formalité. Quant à ma vie amoureuse, elle aurait pu commencer vraiment, et s'enrichir d'épisodes variés, je le pressentais aux œillades et avances diverses des représentantes de la gent féminine que mon début de carrière, et surtout mon récent éveil, m'appelaient à croiser et à côtoyer. Mais je suis un sentimental, Martin, un vrai, et j'étais toujours terriblement amoureux de Marinette. Un jour, j'eus l'idée de lui écrire à l'hôpital.

« Ma très chère Marinette, j'espère que tu travailles encore en ces murs où nous nous sommes connus. Je pense bien souvent à toi, d'autant plus que je n'ai pas guéri, et que je suis, après un faux espoir qui a duré le temps de notre dernière soirée (t'en souviens-tu ?), toujours aussi embrumé et somnolent. Je crois même

que je tombe encore plus facilement qu'avant dans les pommes. Tu me manques. Accepterais-tu etc.

Voilà, Martin, la ruse que m'avaient soufflée le Morphex, et mon nouvel état d'esprit. Je ne suis pas allé jusqu'à me faire interner à nouveau, je n'en ai d'ailleurs pas eu besoin. Marinette est venue dans ma garçonnière, je l'ai embrassée timidement, et j'ai piqué du nez. Torpeur feinte, évidemment. Croyez-moi que, ce coup-ci, je n'ai pas bougé un petit doigt, pas battu d'un cil. La seule partie mobile de mon individu, Marinette se l'est appropriée avec une telle adresse et une telle ardeur que j'ai frôlé plusieurs fois la catastrophe. Mais le désir intense de vivre l'expérience jusqu'aux limites de son appétit à elle m'a préservé de l'irrémédiable. C'est ce soir-là que j'ai appris à être un amant idéal : permissif et résistant, envahissant uniquement dans la mesure qu'on lui concède. Le souvenir m'en demeure éblouissant. Vous vous demandez, Martin, ce qu'il est advenu de Marinette ? Elle s'appelle Madame Meunier depuis huit ans et ne sait toujours pas, ou fait semblant de ne pas savoir, que je suis tout à fait lucide quand elle m'entreprend... Et ça marche très bien comme ça.

Alors, Martin, un conseil, non, deux : d'abord, Morphex ! Vous allez voir, c'est radical. Mais avec Bernadette, ne changez rien, au début. À mon avis, elle use de vous comme Marinette use de moi, avec l'ivresse de la liberté et de l'incognito. C'est la drôlerie, la jovialité avec lesquelles elle m'a touché un mot de la situation qui me portent à penser qu'elle s'en accommode et même s'en réjouit. Si soudain, vous vous réveillez ostensiblement, vous risquez de tout gâcher. En restant apparemment le même, vous allez goûter à des joies raffinées, mon vieux. Celles du voyeur invisible, celles du partenaire parfait, qu'on n'est jamais. Avec elles, les femmes, c'est tellement compliqué. Hein ? Morphex ! Vous ouvrez enfin les yeux. Et avec Bernadette, ni vu ni connu. Vous les tenez bien clos. Allez ! Allez, mon petit.

Meunier venait d'agrémenter son ordonnance de toute une série de grimaces assez hallucinantes, paupières alternativement écarquillées ou coquinement plissées... Il poussait à présent Martin très paternellement hors du bureau directorial. Lequel Martin serrait encore entre ses doigts deux gobelets de plastique vides, moulés l'un dans l'autre, et qu'il avait mécaniquement écrasés. En apercevant la machine à café, passablement hagard, il s'arrêta pour en prendre un autre. Sûr qu'il allait péter les plombs, lui qui n'en buvait jamais, à cause de ses foutues insomnies...

Coup de chance

Daniel est étendu sur son lit. Il parcourt le journal en fumant une cigarette. Il fait bien attention, sa mère n'aime pas qu'il fume au lit. L'autre jour, il a troué son pyjama, il s'est brûlé la cuisse avec la braise fugueuse. Il n'a rien senti. À partir de la taille, Daniel est totalement insensible, totalement mort, depuis son accident. Un accident de voiture. Daniel ne se déplaçait guère qu'en voiture. Ni moto, sa mère trouvait ça dangereux, ni vélo : pas assez sportif. Un peu quand même, Daniel faisait du tir à l'arc. Il pourra d'ailleurs recommencer bientôt, dans un fauteuil. « Une veine ! » a dit Dédé, qui a toujours le mot juste. Oui, une veine. Daniel aimait la pêche, les échecs, le cinéma... Il ne courait pas les filles, ne savait pas danser, détestait le jogging, skiait rarement, passait des heures devant son ordinateur. Dans le service où on l'a rafistolé, on n'arrêtait pas de se réjouir et de l'encourager. Voilà une existence qui allait pouvoir se poursuivre sans trop de chambardement ! Ce n'était pas le cas de ce pauvre gars du 111, un patineur artistique qui s'était fracturé la colonne. Alors là, pour une vie foutue en l'air ! Et cette nageuse, quelle tuile, en plongeant ! Et le rugbyman du 128 ! Et le maçon du 114 ! Ne serait-ce que ça, hein, maçon, va construire un mur assis, toi ! Le père de Daniel semblait le plus convaincu de l'aspect véniel de son problème. Une peccadille, somme toute, ces deux jambes en moins ! Daniel en arrivait même à se demander pourquoi il n'avait jamais songé à se faire amputer, tout semblait tellement simple, presque plus simple qu'avant !

— Il existe des fauteuils très perfectionnés ! disait son père. Et il ajoutait : une veine qu'on habite sur un seul niveau.

Une veine ! décidément !

— Pour ton travail, ne te fais aucun souci, je suis allé mesurer, l'ascenseur est assez grand. Et puis, le directeur est très gentil, tout prêt à revoir l'aménagement de ton bureau. Et même à demander des toilettes adaptées.

Chic ! des toilettes adaptées ! L'apprentissage auquel Daniel a dû se livrer pour se voir apte à jouir de ce genre de commodités, il ne l'a guère expliqué à ses parents. Daniel est pudique...

Il n'a pas cherché non plus à flétrir leur confiance lorsqu'ils ont déclaré : « Il n'est pas dit que tu ne te marieras pas ! Tu sais, il y a des filles très bien qui épousent des garçons comme toi. (Quatre mois après, ils n'osent toujours pas dire "handicapé".) Tu as un bon métier et, Dieu merci, la tête est intacte ! »

Dieu merci, merci mon Dieu, vous m'avez laissé la tête intacte, un peu chamboulée, tout de même, de l'intérieur, avec des migraines qui s'attardent, de grosses angoisses qu'on ne dit pas toujours, des vertiges. Il paraît que c'est normal, suite aux chocs multiples : l'accident, les opérations... Mais bon, l'enveloppe externe, c'est vrai, est intouchée, une figure ronde et régulière, pas vilaine, plutôt agréable à regarder même, oh ! sans tapage ! des yeux bleus, des cheveux noirs bien courts (ils repoussent enfin pour de bon, on avait tout rasé plusieurs fois pour des examens), des lunettes, les mêmes qu'avant, un comble, le double tonneau ne les a même pas cassées... Enfin, oui, peut-être une fille bien pourra un jour s'intéresser à cette physionomie assez douce d'intellectuel paisible, à ces épaules point trop étroites, à ces grands bras un peu amaigris pour l'instant, mais bientôt requinqués par le tir à l'arc. En revanche, il ne faudra pas que la donzelle ait des visées au-dessous de la ceinture, ça, c'est évident. Daniel n'a pas su objecter à ses parents :

— Mais papa, maman, je ne bande plus, je ne banderai plus jamais. Quelle fille ça pourrait tenter, même si c'est une fille bien ?

Il a hoché la tête plusieurs fois, oui, oui, me marier, pourquoi pas, on y songera...

À l'hôpital, ils ont commencé la rééducation. Grand mot pour dire que quelqu'un fait bouger les jambes de Daniel, histoire d'entretenir la souplesse des articulations, et un peu de muscles... Et puis comme il allait bien, on l'a laissé sortir.

— L'hôpital à la maison, a décrété son père, jovial. Le kiné viendra tous les jours. Tu seras comme un coq en pâte !

On ne peut pas mieux dire. Daniel est comme un coq en pâte. Un chapon, plutôt, dans la pâte épaisse de l'immobilité forcée. Il ne se sent pas trop le droit de se plaindre, c'est vrai qu'il n'était ni danseur de flamenco ni marathonien, mais tout de même, parfois, il en a ras le bol. Déjà. Et sa demi-vie ne fait que commencer... Le kiné vient vers les onze heures. Un grand type balèze, pas très loquace, en jean et tee-shirt moulants sous lesquels on devine chaque relief de son corps, les pectoraux, ponctués de mamelons toniques, les biceps, triceps, fessiers... On localise même des détails beaucoup plus intimes. Daniel le regarde toujours entrer en pensant :

— S'il trique là-dedans, ou il se foule la bite ou il éclate sa braguette.

Aujourd'hui, il est en retard, le kiné. Daniel écrase sa cigarette, replie son journal, exécute quelques rotations d'épaules, les bras bien horizontaux. Ah ! une voiture ! Un diesel, même. Le masseur a changé de véhicule... La porte s'ouvre. Le masseur a changé tout court. C'est une masseuse. Queue-de-cheval, lunettes, aucun maquillage, grand pull sur pantalon, chaussures plates : l'insignifiance absolue. Daniel n'a jamais été dragueur, mais il sait apprécier les jolies femmes, et a parfois vibré d'une fièvre solitaire en feuilletant des magazines un peu spéciaux où d'adorables déesses exposaient leurs attraits sans souci des courants d'air. Depuis qu'il est revenu de l'hôpital, il a retrouvé ses publications, cachées sous son matelas... Mais le charme est rompu, son imagination, elle aussi, est cul-de-jatte ! Il lui reste ses prunelles (intactes, Dieu merci, une veine) pour apprécier sans passion la plastique de ces dames.

Celle-ci, qui avance vers le lit, n'a rien de fracassant, c'est sûr. Elle a un truc bizarre dans l'œil gauche, une coquetterie. La seule. Son pull s'avachit en grandes vagues beigeasses sans grâce et la noie jusqu'aux fesses. Elle dit :

— Bonjour ! Je m'appelle Isabelle.

Elle est un peu mieux quand elle sourit, sauf qu'elle a une dent cassée, devant. Pas grand-chose, un petit éclat, mais ça fait désordre. Daniel aime bien l'ordre. Et puis « Isabelle », franchement ! Un prénom romantique, qui parle de longs cheveux blonds... Les siens auraient besoin d'un shampooing. Daniel répond tout de même :

— Bonjour !

En garçon bien élevé, il y met même une certaine cordialité.

— Qu'est-ce qu'on fait ? demande Isabelle.

Comment ça, qu'est-ce qu'on fait ? Si elle ne le sait pas, ce n'est pas lui qui va le lui apprendre. Elle le voit perplexe.

— D'habitude, précise-t-elle...

— On bouge les jambes, dit-il. Pas moi, moi je ne peux pas.

— Ah !

Elle a hoché la tête. Ça va. Elle a compris. Elle pose son sac, s'approche, attrape le pantalon du pyjama de Daniel :

— Je vous mets à l'aise. Vous avez un slip ?

Encore heureux, pense Daniel. Sans attendre la réponse, elle l'a débarrassé du vêtement, très vite. Le voilà jambes nues, livré au regard de l'inconnue. Elle le touche au tibia.

— J'ai les mains froides, dit-elle.

— Je ne sens rien.

— Ah !

Elle se frotte tout de même les mains, vigoureusement, puis saisit la jambe de Daniel à la hauteur de la cheville, et opère une série de petits va-et-vient, exactement comme sur un rouleau de pâte à tarte qu'on veut étirer. La jambe, docile, bouge au rythme de ce mouvement, le pied balaie l'espace comme un essuie-glace, de droite à gauche, de gauche à droite, la cuisse suit, roule sur elle-même.

— À l'autre ! dit la jeune femme en posant sa main sur la deuxième cheville.

C'est assez souple ! Ensuite elle plie un genou, le déplie, le replie, consciencieusement, longtemps, avec le tranchant de sa main gauche dans le creux poplité, et la main droite à la manœuvre. Et puis elle pèse sur la jambe repliée de Daniel et travaille l'articulation de la hanche, bien à fond, en rond. Daniel a l'impression d'assister à des soins qui ne le concernent pas. Il a croisé ses mains sous sa nuque, il attend que le temps passe. Il ne regarde même pas l'exercice de ses membres inférieurs, cet humiliant pétrissage qu'il subit sans l'éprouver. La masseuse a replié l'autre jambe, elle assouplit l'articulation de l'autre hanche, d'un ample moulinet sans à-coup. Soudain, les yeux de Daniel se posent fortuitement sur son slip bleu, et... « Oh ! » La stupeur lui arrache une exclamation... La fille a suivi son regard, elle aperçoit l'objet de sa surprise, la raison de son cri, cette révolution sous l'étoffe, ce soulèvement, modeste et pourtant indubitable, ces petits sursauts émouvants d'une bête encore endormie mais qui, doucement, revient à la vie. Daniel a rougi violemment, il s'est senti le feu aux joues, il hésite entre mourir de honte et hurler de bonheur. La masseuse s'étonne de son émotion :

— Ça ne vous est jamais arrivé ?

— Si ! Si ! Souvent ! Avant ! bégaie-t-il absurdement.

— Oui, mais depuis votre accident ?

— Non, jamais, on m'avait dit que c'était fini. Jamais. C'est la première fois.

Visiblement, il exulte.

— Vous savez, dit-elle sur un ton très raisonnable, ce n'est pas un miracle. Plutôt, un hasard, une connexion incontrôlable, sûrement passagère. On n'explique pas tout, dans les paraplégies. Il y a toujours des petits mystères.

Elle est à claquer.

Des petits mystères ! Tu parles ! Il a, à présent, un

vrai guignol dans le slip ! Tiens ! Il en oublie d'être gêné !

— Vous sentez ce que je vous fais ? demande la vilaine loucheuse.

— Non ! Rien ! Rien de rien.

Ce n'est ni ce qu'elle lui fait ni l'idée qu'il s'en forge. C'est... incompréhensible, inattendu, plutôt burlesque. Mais il n'a plus envie de chanter victoire depuis qu'elle l'a douché. Il se contente d'observer, de loin, comme d'ailleurs, ce morceau de lui-même qui danse et qui salue, pendant qu'elle poursuit imperturbablement son travail.

Elle est partie. Elle a dit :

— À demain !

Il est resté en érection encore un quart d'heure. Après, il a cherché les magazines sous son matelas. Bien sûr, en vain. Il a hasardé une main craintive et répugnée sous son pyjama, a trouvé un bout de viande moite, désespérément atone, le même qu'il tringle plusieurs fois par jour avec sa sonde, pour pisser... Il a essayé de se faire du cinéma, sous ses paupières serrées, a pensé à Cathy, à leurs meilleurs moments... Infructueusement. Peut-être que leurs meilleurs moments n'étaient finalement pas très fameux, il s'en doutait déjà un peu à l'époque. Il la baisait dans le noir et partait trop vite. Elle soupirait à peine. Il repense à sa chatte douce et étroite, elle ne mouillait pas bien... Bof ! Même dans sa tête, il ne bande plus.

*

Isabelle est revenue. Travail des chevilles, des genoux, des hanches. Le slip de Daniel a recommencé à gigoter. On dirait qu'elle possède dans son sac de kiné les ficelles du pantin, et qu'elle s'amuse à tirer dessus, mine de rien. Elle avait l'air de faire un peu la gueule. Elle se demandait manifestement s'il ne se foutait pas d'elle. Elle a voulu voir son dossier. Elle l'a parcouru, debout devant la fenêtre. Elle a dit :

— Parlez-en à votre médecin.

*

Daniel a eu un rendez-vous rapide, il avait insisté au téléphone sur l'urgence. Le professeur l'a gardé à l'hôpital une matinée. Radios, tests, exercices. Il faisait des bruits de lèvres très éloquents, de petites implosions qui signifiaient : « Rien de neuf sous le soleil. »

Il a dit :

— Écoutez...

Daniel savait ce qu'il allait expliquer. Il l'avait vu tordre la bouche et hausser les sourcils.

— Il n'y a aucune raison physique, a-t-il commencé.

— Et psychologique ? a coupé tout de suite Daniel.

— Non plus. Vous n'êtes plus relié nerveusement. En principe, le courant ne passe plus. Actionnez le commutateur d'une lampe dont le fil est coupé... c'est pareil.

— Oui, je sais, dit Daniel. Pourtant, c'est cette fille, ses manipulations...

— Essayez quelqu'un d'autre, a conseillé le docteur. Les mêmes manipulations, par quelqu'un d'autre, vous verrez bien.

— J'ai essayé, a dit Daniel.

— Alors ?

— Alors rien.

— Mais cette fille, dans votre tête ?

— Rien.

— Vous voyez ! C'est indépendant. Votre corps sursaute. Sans raison. C'est de la matière qui bouge, pourquoi, comment, je suis incapable de l'expliquer.

— Mais..., a protesté Daniel.

Il avait l'air malheureux, vraiment, pour la première fois. Le professeur Blancodini, qui s'occupait de lui depuis des mois, ne lui avait jamais connu ce masque triste et tourmenté.

— Vous savez, a-t-il commencé, que je vous ai proposé une solution. Si la chose vous semble insupportable, je veux parler de votre impuissance, on peut y remédier très simplement. Un tuteur, en quelque sorte. C'est bien toléré, les gens sont contents.

Un tuteur ! Ça aurait l'air de quoi ! Non merci, Daniel préfère les cadavres couchés, c'est plus décent. On lui propose une momie toujours raide à la place de son pauvre gisant qui a au moins le mérite de l'authenticité. De la chair morte, mais elle est à lui ! Et puis, quelquefois, le défunt se réveille, il l'a vu. L'aventure le passionne. S'il est toujours au garde-à-vous, c'est fini, il n'y aura plus de miracle, jamais plus il ne remuera... Non, merci, pas de tuteur. Daniel est majeur, et responsable. Il assume très bien tout seul, comme un grand, même si dans son fauteuil, il a perdu un demi-mètre, que quinze centimètres définitivement dressés ne lui rendront pas.

Isabelle s'est lavé la tête, aujourd'hui, et elle a jeté son horrible élastique vert. Ses cheveux blonds volent joliment autour de son visage. Elle est mignonne, finalement. Dommage, pour son œil ! Elle ne demande pas le résultat de la visite chez Blancodini. Peut-être qu'elle s'en fiche. Peut-être aussi est-elle embarrassée... Elle a commencé la séance, comme d'habitude, ou presque.

— Vous ne m'enlevez pas mon pyjama ? a demandé Daniel.

C'était un oubli. Elle y a remédié tout de suite, silencieusement.

Les chevilles, les genoux, la hanche. Ça n'a pas manqué ! Cette fille a un pouvoir. Daniel s'est soulevé sur les coudes, fiévreux, volubile :

— Mademoiselle ! Isabelle ! Mademoiselle Isabelle ! Le docteur a dit que c'était impossible ! ou alors un hasard. Mais un hasard chaque fois, vous y croyez, vous ?

Elle a suspendu son geste, elle a jeté la main sur le pyjama.

— Je vais vous envoyer quelqu'un d'autre !

Il a eu un cri de terreur, et des larmes dans les yeux.

— Ne faites pas ça, je vous en prie !

*

Elle est restée, elle est revenue. Toujours ses vieux pulls trop grands, mais plus de queue-de-cheval. Son œil s'arrange, on dirait. Le week-end de Pâques, il était seul à la maison. Il avait insisté :

— Mais oui, papa, maman, allez-y, je vais me débrouiller ! C'est très important, pour moi, d'apprendre à me débrouiller !

Quand elle a ouvert la porte, elle l'a trouvé dans la pénombre. Il avait fermé les volets, tiré les rideaux. Une petite lampe de chevet diffusait une lueur rose.

— Ça ne va pas ? a-t-elle questionné.

— Si, mais... j'ai quelque chose à vous demander. Quelque chose de spécial.

Il a inspiré à fond, il s'est jeté à l'eau :

— Voilà, je voudrais que vous vous en serviez !

Elle a hésité à comprendre, a gardé un silence interloqué une minute, elle a enfin dit :

— Non !
— Mais pourquoi ?
Il avait une frimousse gamine et contrariée.
— Parce que je n'en ai pas envie !
— Moi non plus ! a-t-il affirmé d'un ton d'évidence.
— Eh bien alors, pourquoi voulez-vous que nous fassions ce dont nous n'avons envie ni l'un ni l'autre ?
— Moi, je n'en ai pas envie physiquement. Cette envie-là, je ne l'aurai plus jamais... Ce qui me fait envie, c'est de me dire que quelqu'un... une femme... vous, Isabelle, vous vous êtes servie de moi, vous avez pris du plaisir grâce à moi.
— Comme avec un objet ? a-t-elle coupé, très froide.
— Oui ! Tout à fait, ça m'est égal d'être un objet. Je veux vous faire plaisir !... La maison est vide. On a tout le temps.
— Pas moi, a-t-elle dit.
— Le temps que vous voudrez, et si vous me trouvez dégoûtant, tenez, c'est facile, j'éteins...
Il a éteint. La chambre était absolument noire...

*

Elle a exécuté quelques gestes dans l'obscurité totale.
— Qu'est-ce que vous faites ?
— Je me déshabille.
Ce n'était pas vrai, elle trichait. Elle n'a enlevé que son pull-over, pour avoir les bras nus, au cas où il la frôlerait.
— N'oubliez pas les manipulations, a-t-il soufflé.
— Je n'oublie pas.
Chevilles, genoux, la hanche.
— Alors ? a-t-il demandé.

— Alors, ça y est, vous êtes en forme, je vous enlève vos vêtements.

Ça, elle l'a fait, tout de même. C'était peu de chose. En tirant sur le slip, elle a senti le sexe du jeune homme qui oscillait, tonique comme un ressort. Elle est montée sur les jambes de Daniel, à califourchon, et même un peu plus haut, sur ses cuisses.

— Je peux toucher ? a-t-il demandé.

— Non, ni toucher ni voir. On était bien d'accord.

— Oui. Mais alors il faut me raconter...

Elle a commencé son fallacieux récit.

— J'ai votre sexe dans ma main.

— Comment il est ?

— Il est gros et dur. Je le caresse de bas en haut, et de haut en bas. Il coulisse. Avec mon autre main, je me touche aussi.

— Ça vous plaît ?

— Oui, je suis mouillée, bientôt prête. Je vais vous prendre en moi.

— Décrivez-moi votre position.

— Je suis à cheval sur vous, mes cuisses de chaque côté des vôtres.

— Nues, vos cuisses ?

— Bien sûr. Et maintenant je vous place, vous entrez en moi.

— Facilement ?

— Pas très, vous êtes trop gros, ça me fait un peu mal.

— Attendez alors, caressez-vous encore.

— Oui, j'attends, je n'ai pris que le bout. Je m'élargis avec. Je descends. Je vous avale doucement...

Isabelle mime son ballet, à dix centimètres de l'objet qu'elle décrit. Pour le bruit sur le matelas, pour les vibrations, il faut qu'il la sente plonger, et remonter.

Qu'il y croie vraiment. Elle a gardé son pantalon et même ses chaussures. Elle continue sa parodie en se traitant de folle, avec du trouble et de la honte plein la tête.

— Je suis à fond, empalée à fond sur vous.

— Qu'est-ce que ça vous fait ?

— Ça m'excite beaucoup. Vous allez très loin en moi. Je repars, je vous quitte, vous glissez, tout gluant, la tête...

— Oui ?

— La tête de votre sexe est au bord, juste au bord, et je tourne autour.

— Vous aimez ?

— J'adore ! Je vous suce bien doucement, je vous mange avec mon ventre

— Je bande toujours ?

Isabelle a un geste pour s'assurer du terrain.

— Oui, plus que jamais. Vous êtes encore plus gros que tout à l'heure.

Elle a posé ses mains à plat sur la poitrine de Daniel et inconsciemment, elle ondule du bassin au rythme de son commentaire. Daniel a saisi ses poignets, il lui caresse les bras.

— Et vos seins, Isabelle ? Je ne peux pas les toucher, vos seins ?

— Attendez !

Elle le quitte précipitamment, à côté du lit, elle arrache ses vêtements comme s'ils la brûlaient. Pourvu qu'il ne se rende compte de rien !

— Qu'est-ce que vous faites ?

— Je n'avais pas quitté mon tee-shirt ni mon soutien-gorge.

Vite, vite ! Elle s'est débarrassée de ses chaussures à coups de talons rageurs, de son pantalon et de sa culotte d'un même geste urgent, le tee-shirt vient de s'envoler, le soutien-gorge n'a pas résisté davantage et pourtant elle a fait semblant de se battre avec pour gagner du temps.

— Les agrafes, je n'y arrive pas !

Quelle menteuse ! Quelle comédienne ! Mais où a-t-elle appris à mentir comme ça ? Elle ne se connaissait pas ce talent, cette fougue, cette envie de complaire, d'enivrer, de rendre heureux. Elle est revenue sur lui.

— Touchez-les.

Il a posé des mains douces et recueillies sur les globes tendus qui frissonnaient, et s'est redressé sur le lit, a avancé la bouche, a bu, mordu, tété cette exquise chair fondante qui s'offrait...

— Et là-bas ? demande-t-il soudain. Que se passe-t-il là-bas ?

— Je suis bien, je suis bien, chuchote Isabelle. Ta bite est un chef-d'œuvre de velours.

— Tu n'as plus mal ?

— Non, je suis toute mouillée, je coule autour de toi, je te bouffe, j'ai chaud partout, de l'électricité partout, tu m'ouvres complètement, tu me baises exactement comme j'aime.

— Je peux toucher, Isabelle, s'il te plaît ?

— Oui, oui, touche !

C'est elle qui lui a pris la main. Il a senti sa queue, la racine de sa queue bien solide, bien plantée dans un fourré torride et trempé, il a mis son doigt avec, dans le trou fabuleux qui battait et gonflait, et le trou a gobé son doigt aussi, et rien qu'à cette aspiration, à cette pression rythmée autour de son doigt, cette mastication de plus en plus rapide et gloutonne, il a imaginé ce qu'aurait connu sa bite si elle n'était pas devenue sourde et aveugle dans ce putain d'accident. Il s'est dit : « Sûr qu'avec Cathy, ou n'importe quelle autre, je serais déjà parti... » Son cœur cogne très fort, son doigt est toujours fiché là-bas dans le brasier, c'est comme s'il touchait l'accouplement d'une femme et d'un homme qui ne serait pas lui, comme s'il était invité très intimement à leurs noces, comme s'il était un témoin très spécial, très indiscret de leur union, il sent contre son doigt la délectable raideur d'une tige véhémente, c'est sa queue à lui, il n'ose pas y croire, et sur cette queue monte et descend le con tout mouillé d'Isabelle, qui palpite comme un cœur battant, qui bave un jus chaud, qui pompe de plus en plus goulûment. Il ressort son doigt, il fait le tour, du bout de la phalange, le tour de ce magnifique et délicieux rendez-vous, il sent les lèvres tendues, séparées, gorgées, arrondies sur son mât, les poils en auréole, partout, baignés par l'aventure, jusqu'au trou du cul, qui participe aussi, qui semble appeler, il s'y hasarde, il y entre sans effort. Isabelle gémit et lui broie le doigt, et dans son cul il tâte encore sa bite, bien dressée, bien longue et ronde et dure, il l'accompagne, la flatte, la dessine, toujours à travers la cloison mince qui se prête au jeu, Isabelle geint plus fort, il est assis, sa main gauche n'en finit plus de s'émerveiller, ce que ses seins sont beaux, et lourds, et vivants !... Il lui murmure :

— Appelle-moi, dis mon prénom.

Elle souffle :

— Daniel ! Daniel ! Je suis bien, je suis bien, mais pas encore vraiment, pas vraiment là, pas tout de suite, je suis longue, tu sais...

Ah ! il s'en fiche bien ! Une veine, une sacrée veine, il va pouvoir lui offrir son insensibilité comme un vrai cadeau, aussi longtemps que sa bite voudra bien tenir droite, aussi longtemps que le miracle durera, il va l'encourager à profiter de lui, à cavaler, monter, descendre, courir, pour ralentir, s'arrêter et repartir encore, danser en rond, baratter dur, limer fort, baiser et rebaiser. Il y remet son doigt, il explore à nouveau le terrain formidable de leur rencontre, il sillonne la fente suave et béante, trouve le clito qui darde, il effeuille les pétales de la fleur, tire dessus, les pince, les roule, les accole, les sépare, les étire, comme c'est bon, cette femme ouverte sur lui qui chantonne, qui s'essouffle, qui commente à bouche fermée toute la volupté qu'il lui donne !

— Isabelle ? Si j'allumais ? Hein, si j'allumais, Isabelle ?

Elle n'a pas dit non. La lumière rose a jailli, l'a nimbée d'un éclat magique. Qu'elle est belle, avec ses cheveux fous, ses seins mouvants, ses épaules rondes, ses hanches qui s'affolent, et sa chatte ouverte, d'un carmin enivrant dans l'or des poils mouillés !

Elle s'est penchée en arrière, elle s'appuie sur ses mains, tend sa gorge, lève le menton, renverse au plafond des yeux sans regard, et dans la béance de ses cuisses apparaît cette chose grandiose : sa grosse trique à lui, bien huilée, bien debout, comme un clocher, et Isabelle qui se ramone dessus, avec une grimace aveugle, et qui galope de plus en plus vite.

— Ah ! Elle a crié : Ah !

Elle jouit, elle est clouée à fond sur lui, et elle jouit, à plein visage, à plein regard, elle n'a plus rien dans l'œil, qu'un feu radieux et terrible, elle jouit toujours, elle redit :

— Ah ! Daniel ! Ses joues sont toutes rouges, sa bouche extasiée, son petit con adorable pompe encore follement.

— Ah ! Daniel !

— Ah ! Isabelle !

Elle est la femme la plus importante de sa vie, à cette

minute, et pour toujours, il le sait maintenant... Elle respire bruyamment, on dirait qu'elle a mal, et pourtant elle sourit, au-delà de cette chère et resplendissante souffrance dont il est responsable...

— Ah ! Daniel !

Le trésor de ces yeux éblouis, de ce souffle coupé, de cette bouche entrouverte et béate, il veut les garder à jamais, il est à lui, à lui, merde, le destin lui doit bien ça, et ces deux beaux seins si ronds, et ce ventre, ce ventre... Elle pose une main sur son ventre délicatement bombé, elle contemple Daniel avec de la tendresse, ou quelque chose qui y ressemble.

— Isabelle, épouse-moi !

Elle sourit doux, soupire grave, elle a des petits spasmes encore, comme un gosse qui a longtemps pleuré.

— Épouse-moi ! J'ai un bon job, je vais gagner mon procès, je vais toucher beaucoup d'argent, mes parents sont gentils, ils me laisseront la maison et tu me fais bander, Isabelle, regarde, je bande encore...

C'est vrai, sa queue n'a pas fléchi. Il en pleurerait de joie. Isabelle se penche vers lui, l'embrasse affectueusement sur la joue, déserte le lit.

— Et toi, dit-elle, regarde ça !

Elle est debout. Elle a mis les deux mains sur son ventre, en se cambrant.

— Tu as remarqué, n'est-ce pas ? Bientôt quatre mois.

Quatre mois ? Qu'est-ce qu'elle raconte ? Non, il n'avait rien remarqué, que du suave, du joli, du rond, du plein, du tendre...

— Quatre mois ? demande-t-il. Et le père ?

Elle a un geste désabusé en attrapant son tee-shirt.

— Oh ! le père, quand il a su que je voulais le garder, il s'est carapaté à toutes jambes !

Daniel n'en croit pas sa chance. À toutes jambes ! Oh ! le salaud, le sublime salaud, sur ses formidables guibolles de déserteur, fuyant à grands pas de salaud, et laissant derrière lui, tout prêt, tout chaud, tout vivant, le divin petit ventre de la divine Isabelle ! Pour une veine !

— Isabelle, viens là !

Elle s'est approchée. Il l'a entourée de ses longs bras, a posé la joue sur la douillette colline de son ventre.

— Isabelle, tu vois, je pourrai le prendre et le bercer, le serrer contre moi. Il me reste mes bras, mon cœur, ma poitrine, et Dieu merci, tout mon amour à donner. Une veine, non ?

Le Patin à roulettes

Frédéric était un garçon doux et paisible, mais sa tranquillité, de surface seulement, lui permettait de cacher une excessive émotivité. Il articulait de rares phrases avec une sorte d'application réfléchie pour qu'on ne s'aperçût pas qu'il bégayait facilement. On le croyait mûr, plein d'une richesse intérieure qui le rendait dédaigneux des frivolités, quand il n'était que timide et gauche, et silencieux la plupart du temps par prudence. Il avait eu quelques aventures : sa belle petite gueule de blond presque roux, au regard clair, aux lèvres tentantes, aux éphélides enfantines, savait plaire et séduire. Mais il n'avait gardé, de ses étreintes avec de trop jeunes filles, que des souvenirs rapides et frustrants et l'impression bizarre, même s'il les avait possédées, d'être resté chaste... Frédéric rêvait aux Femmes.

Ce rêve était devenu lancinant depuis sa rencontre avec Mario. Mario occupait une chambre voisine de la sienne, à la résidence. Et Mario aussi rêvait aux Femmes. Mario, brun, ténébreux, beau parleur, excellait à sourire et à plaisanter, ne tremblait ni d'entreprendre ni d'échouer, mais attendait toujours l'aubaine d'une rencontre qui l'eût ébloui. Au fil des heures partagées, moments de veille et d'étude, flânerie aux terrasses, repas au self, Mario ne manquait pas de reprendre et de fignoler, détail après détail, le portrait de la maîtresse idéale, pleine d'expérience et d'initiative, ignorante des tabous, fringante, fantaisiste.

— Une belle salope, tu vois, disait-il, plus très jeune, pas vieille non plus, attention, mais une claire et nette, qui va tout de suite te montrer qu'elle pense à la même chose que toi.

Frédéric ne répondait pas. Son œil bleu pâle s'élargissait sur la vision d'une improbable délurée qui le saisirait par le col de son blouson pour lui planter en pleine bouche le baiser du signal.

Un jour, Mario dégota une place de veilleur de nuit dans un petit hôtel parisien. Place qu'il offrit à Frédéric de partager, parce qu'il ne pouvait pas l'assumer entièrement sans risquer de compromettre ses études. Ils travaillèrent donc à tour de rôle une nuit sur deux, et n'eurent désormais plus qu'une après-midi par semaine pour se retrouver. Mais ils possédaient maintenant de quoi alimenter leur fantasme commun : ils avaient pris l'habitude, sur l'instigation de Mario, de noter dans un carnet spécial la description de toutes les voyageuses seules et potables descendant à l'hôtel, pourvu qu'elles eussent évidemment dépassé la trentaine, les classant en catégories sophistiquées, de la brune chef d'entreprise avec attaché-case et cravate, à la blonde désœuvrée, touriste blasée au soupir geignard, en passant par l'intellectuelle, coupe courte et lunettes, qui oubliait toujours le numéro de sa chambre. De semaine en semaine, leur catalogue s'élaborait et, à la lecture de chaque portrait, le jeu consistait à imaginer un abordage différent chaque fois et approprié au type de spécimen étudié. On divaguait, on en rajoutait, on s'amusait beaucoup. Puis Frédéric, le premier, redescendait sur terre pour dire, avec cet air grave qui le rendait si charmant à son insu :

— Tu parles, même si ça marchait, on serait sûrement déçu !

Et Mario fronçait une mine dubitative et tentée pour répondre :

— Va savoir !...

Ce soir-là, un mardi, Frédéric occupa son poste à l'hôtel dès dix heures trente, et, comme d'habitude, ouvrit le tiroir où Mario et lui, alternativement, rangeaient leur carnet, pour prendre connaissance des figures de la veille, en attendant de noter ses propres découvertes. Ce qu'il trouva à la page du lundi fit battre son cœur. Mario avait seulement écrit, d'une écriture saccadée par l'émotion : « C'est arrivé ! Je te raconte tout mercredi première heure. »

Dès le lendemain, sacrifiant une grasse matinée réparatrice, Frédéric frappait chez Mario, qui avait séché ses cours pour l'attendre. Mario arborait une mine de conspirateur épanoui, multipliant les exclamations (Ah ! mon vieux !) et les claquements de langue. Enfin, il raconta.

« Elle » était arrivée vers vingt heures trente. Il ne l'avait pas reconnue, d'abord. N'avait même pas envisagé de la noter dans le carnet. Non qu'elle fût laide. Pas très belle non plus d'ailleurs, mais un certain charme. La quarantaine. L'air très fatigué. Ce qui avait gardé Mario d'inscrire la voyageuse au catalogue des « abordables », c'est la minerve qu'elle portait. Elle semblait beaucoup souffrir, et quand elle apprit que sa chambre, retenue d'avance, était au troisième sans ascenseur, elle eut une grimace d'effroi. Mario aperçut alors son bagage surchargé, déclara :

— Je vais monter votre sac.

— Merci, c'est gentil, dit-elle.

Puis le téléphone sonna, elle ajouta tandis qu'il décrochait :

— Je vous précède.

Il la regarda attaquer l'escalier avec une pesanteur rigide.

Un quart d'heure après, elle redescendait.

— Vous m'avez oubliée, fit-elle, un peu tristement.

Il s'excusa, se leva, attrapa le sac, pas si lourd qu'il y paraissait, somme toute, et grimpa sans se retourner. Devant la porte de la chambre, une des anses du sac craqua. Le bagage mal fermé laissa échapper... un patin à roulettes ! Il le ramassa. Elle arrivait derrière lui. Il lui tendit l'objet, eut un regard interrogatif. Elle sourit :

— Ça, expliqua-t-elle, c'est pour mon dos, ça soulage mes douleurs. Enfin, quand j'ai quelqu'un pour m'aider.

Mario avait l'air ahuri. Elle continua, tandis qu'ils pénétraient dans la chambre :

— Oui, j'ai trouvé ça par hasard, un jour. Les roulettes, de chaque côté de la colonne, c'est souverain : ça détend les crispations les plus rebelles. D'habitude, je demande à une petite femme de chambre ou bien une serveuse ?

Elle venait implicitement de lui poser une question.

— Non, dit-il, le soir je suis tout seul, jusqu'à six heures demain.

Elle haussa les épaules, douloureusement. Il aurait parié qu'elle allait pleurer.

— J'ai tellement mal, ajouta-t-elle, ça me rend folle ! Plus tard, il jurerait à Frédéric qu'il ne savait pas si c'était la compassion ou quelque chose de plus trouble qui lui avait soufflé sa proposition.

— Montrez-moi, si vous voulez, je peux essayer, dit-il. Après, tout était allé très vite. Il s'était retrouvé assis au bord du lit, le patin à la main. Elle, ayant quitté la veste et la jupe de son tailleur, s'était allongée à plat ventre. Elle ne portait pas de lingerie spécialement érotique : un collant, une culotte, un caraco sur un soutien-gorge beige. Quand il eut compris ce qu'elle attendait de lui, il commença de lents va-et-vient avec le patin, du creux de sa taille à la naissance de sa nuque. Elle gémit bientôt de bien-être. Puis elle enleva sa minerve. Puis elle dit encore :

— Attendez, et elle ôta le caraco et dégrafa le soutien-gorge, qu'elle laissa tomber près du lit.

Il eut le temps d'apercevoir deux jolis seins qu'elle écrasa immédiatement contre le matelas.

— Encore, supplia-t-elle.

Il recommença à rouler l'objet, doucement, régulièrement, de part et d'autre de la colonne vertébrale. Elle se mit à onduler, accompagnant chaque aller d'une petite plainte heureuse, chaque retour d'un soulèvement de reins de plus en plus marqué. Mario, à pied d'œuvre, hésitait encore à la juger sincère ou perverse. Elle avait enfoui sa tête dans ses bras repliés, il l'entendit prononcer d'une voix étouffée, très lointaine :

— Vous êtes adorable !

Alors il posa le patin, attrapa délicatement les bords du collant et de la culotte ensemble, et les roula sur les hanches assez joliment galbées de sa malade. Il la dévêtit ainsi complètement, reprit le patin, le lâcha encore quand, montant à la rencontre du plaisir, elle ouvrit sous ses yeux, à la jointure de ses fesses – un peu plates – une faille sombre, luisante dans ses broussailles noires. Elle ne protesta pas lorsqu'il s'installa derrière elle, promena sur la croupe dansante son sexe gorgé qu'il venait de libérer. Elle dit seulement :

— Encore, le patin !

Il assura sa conquête d'une main, s'ancra au fond de la fente qu'elle lui offrait, et reprit, de l'autre main, ses voyages sur les roulettes miraculeuses...

Frédéric, à ce récit surprenant, n'eut pas une seconde la tentation de douter. Mario semblait encore trop ravi, trop exultant. Simplement, il trouvait la fortune bien injuste, qui déléguait à ce débrouillard, cet insolent, ce veinard, une chance que lui, si timide et désarmé, ne rencontrerait vraisemblablement jamais. Après un moment de silence, il lui demanda :

— Tu crois qu'elle t'a vraiment cherché, ou bien c'était un vrai mal de dos ?

L'autre eut une moue d'ignorance :

— Les deux, sûrement.

Les mois passèrent, stériles de nouveaux événements à se mettre sous la dent. Mario guettait, derrière son comptoir, la réapparition de celle qu'il ne nommait plus que « le patin à roulettes ». Frédéric, lui, pensait qu'elle ne reviendrait jamais. Il travailla dur pendant ses heures de faction, renonçant même au facétieux plaisir du carnet. La fin de l'année universitaire le combla d'un diplôme qu'il arrosa dûment. Et quand il prit son poste, ce soir-là, un soir d'été précoce, alourdi d'une chaleur anormale, il flottait encore dans les brumes heureuses de son succès et des libations qui l'avaient célébré.

« Elle » entra dans le hall de l'hôtel à vingt heures, et il la reconnut sur-le-champ. Beaucoup plus belle que Mario le lui avait dit. Mais Mario était un séducteur difficile. Plus jeune aussi. Elle portait de la même main une valisette et, dans un sachet transparent, un coffret de patins à roulettes. Elle avait abandonné sa minerve et semblait en pleine forme. Frédéric se sentit sourire malgré lui. Elle s'approcha, expliqua qu'elle avait retenu une chambre, déclina un nom. Il répondit, s'époustouflant lui-même de son audace :

— Comment va votre dos ?

Elle marqua un temps d'arrêt, alarmée. Il se gourmanda : « Quel con je fais ! Elle se sait repérée, maintenant. J'ai tout foutu en l'air ! »

Mais après un interminable et terrible regard d'au moins deux secondes, elle rétorqua :

— Pas mal, et le vôtre ?

Frédéric aurait voulu garder son sang-froid, afficher une sorte de gravité de bon aloi mais il ne pouvait s'empêcher de resplendir, les coins de la bouche aux oreilles et les yeux pleins d'étincelles.

— Je monte vos bagages ? demanda-t-il.

En une pirouette, il jaillit près d'elle et s'empara des deux sacs avec un petit trémoussement burlesque qui la fit éclater d'un rire incrédule. Dans l'escalier, il se retourna, toujours radieux, souleva d'un air malin le coffret de patins, et annonça :

— On fait des trucs formidables avec ça.

En même temps, un autre Frédéric, tout petit et terrorisé, se ratatinait au fond de lui, rentrait la tête dans les épaules comme devant l'imminence d'une catastrophe.

La superbe créature qui le suivait (elle était vraiment très belle, de plus en plus belle, mince et pulpeuse à la fois, brune de peau et de cheveux) sans s'émouvoir demanda :

— Vous pratiquez ?

Le tremblant Frédéric, ébahi, entendit son abominable double proposer avec un infernal aplomb :

— Une petite démonstration ?

Il sut qu'il touchait au but quand il la vit rouler des prunelles effarées autour d'elle, jauger l'étroitesse de l'escalier, l'incommodité des lieux.

— Où ça ? Là ? fit-elle avec une certaine angoisse.

C'est dans la chambre que le nouveau Frédéric élimina définitivement son ancienne dépouille d'effarouché, qui s'effaça enfin pour ne plus jamais reparaître. Il attrapa délibérément la boîte de patins, commença à l'ouvrir. Elle tenta de protester :

— Qu'est-ce que vous faites ? Arrêtez !

— La démonstration ! dit-il.

— N'abîmez pas le paquet, c'est un souvenir que je rapporte à un gosse !

— Oui, oui ! dit-il rapidement, comme il aurait dit « à d'autres » ! Puis, un patin brandi, il ordonna : Déshabillez-vous et couchez-vous à plat ventre !

Elle semblait sceptique au plus haut point, déchirée par l'hésitation. Il se fit tendre :

— Je ne vous ferai pas mal, vous allez voir !

Alors, soudain, elle parut se résigner à ce jeu qu'elle n'avait pas, cette fois, orchestré. Elle enleva sa robe. À cause de la chaleur, elle n'avait rien en-dessous qu'un léger slip blanc et un soutien-gorge assorti. Frédéric ne s'attarda pas à la contempler, désireux de lui prouver sur-le-champ sa bonne volonté et son efficacité. Docile, elle se laissa disposer sur le lit, il s'installa à califourchon sur ses fesses, sans peser pourtant. Et il commença les voyages du patin, comme Mario les lui avait décrits, lentement, consciencieusement, partant très bas du bord du slip, atteignant tranquillement le creux des omoplates, l'orée des cheveux noirs qu'elle portait courts, redescendant suavement, remontant encore... Elle, d'emblée, avait adopté l'attitude qui avait si fort encouragé Mario, la tête dans ses bras repliés, comme pour ignorer et autoriser ensemble ce qui se passait derrière elle. Elle dit seulement, à voix sourde :

— Étonnant !

Frédéric sentit ses capacités reconnues, son aptitude glorifiée. Il s'appliqua encore un moment, jusqu'à faire lever chez elle cette houle dont son ami lui avait parlé. Et quand elle commença à onduler de partout, à geindre, à respirer convulsivement, il se permit de la regarder vraiment et de la désirer. Il se mit à bander avec une force douloureuse. Il se coucha sur elle qui bougeait comme une plante aquatique et, la bouche à son oreille, murmura :

— Tu sens comme tu me fais triquer ?

Elle répondit d'un gémissement prolongé, souleva la croupe sous le barreau qu'il lui offrait, pria :

— Encore ! Encore, le patin ! et commenta avec une ferveur émerveillée : Jamais, jamais on ne m'avait fait ça !

Il était sûr qu'elle ne mentait pas. Il apportait tant de soin, se concentrait tellement dans ses manœuvres. Il maniait ce patin, il le savait, mieux que quiconque, mieux que Mario lui-même, il le maniait divinement. D'ailleurs, elle venait de le dire, plutôt de le chuchoter, dans un mouvement cabré et lascif de tout son dos :

— C'est divin !

Et elle venait aussi de lâcher, de ses deux mains jointes derrière elle, les agrafes de son soutien-gorge, puis d'insinuer les pouces dans l'élastique de sa culotte. Il posa le patin pour l'aider, se défit très vite lui-même de ses vêtements, se coucha à nouveau sur elle, enfouit sa bouche dans les boucles de sa nuque, trouva, sous ses paumes, deux seins merveilleux de douceur et d'intelligence qui se donnèrent aussitôt, fiévreux et tendus. Sa bite enflée coulissait en une vallée spontanément séparée pour elle, entre des fesses splendides dont le relief enchantait ses cuisses et son ventre. « Et Mario qui l'a trouvée plate, pensait-il. Il l'a eue malade, amaigrie, fatiguée. » Il se félicitait de ne passer qu'après l'autre, de jouir mieux que lui d'une partenaire rétablie, métamorphosée, pleine de vigueur et d'appétit. Ses couilles se caressaient aux courbes passionnantes qui dansaient contre lui, sa queue, hypertendue, se décalottait follement dans l'étroitesse mouvante du couloir qu'il avait envahi. Un instant, il craint de s'abandonner trop vite, mais elle remuait si fort qu'elle le chassa. Il recula alors pour la voir tout entière dans sa frénésie, le cul de plus en plus haut, fendu large par une ornière fascinante, toutes ses entrées secrètes offertes sans ombre au regard, l'œilleton de deux pourpres différents vibrant d'impatience, plus bas les lèvres charnues, béantes, affolantes d'indécence dans les poils noirs. Il posa sa bouche entre les fesses, chatouilla de sa langue la fleur serrée et sombre qui réagit au baiser, l'huila de salive, tandis qu'elle, à genoux à présent, gémissait toujours son plaisir. Lentement, le plus lentement possible, il introduisit son doigt jusqu'au fond de ce cul magnifique, et entreprit de le polir, de l'évaser, de peser sur ses frontières jusqu'à la limite de leurs forces à tous les deux. Elle se prêtait à la caresse avec un enthousiasme bondissant et des cris enroués. Enfin, il sentit qu'elle attrapait entre leurs jambes accolées sa pine survoltée. Il se laissa tirer, entra en elle avec une aisance enivrée, frissonna d'une alarme tragique. Son doigt, au plus profond de la gaine investie, toucha sa queue, à travers des parois d'une élasticité démoniaque. Il sentit qu'il ne pouvait plus se retenir, il reprit de sa main disponible le patin abandonné, le posa sur le dos qu'elle creusait et au premier voyage, elle gueula. Alors il juta longuement, éperdument, somptueusement...

Il n'en parla pas tout de suite à Mario, se plut à savourer quelque temps son secret, à étonner l'autre par une assurance nouvelle, une désinvolture élégante et drôle qui lui étaient venues avec l'aventure.

Et puis il raconta. Et la grande question fut : avait-elle prémédité ses coups ? Avait-elle simulé ? Si Frédéric lui en avait laissé le temps, aurait-elle feint, comme avec Mario, des douleurs affreuses ? On en discuta beaucoup. Mario finit par conclure :

— Je crois qu'avec moi, en tout cas, elle était sincère. Ce n'est pas tant la minerve : tout le monde peut en mettre une. Mais ces hernies discales opérées, cette longue balafre dans le dos... Tout de même, ça ne s'invente pas ! Remarque, je ne dis pas qu'elle ne m'ait pas un peu branché, exprès. Après, elle a dû trouver que l'histoire avait un goût de revenez-y...

Mais Frédéric n'écoutait plus, les yeux agrandis sur un souvenir troublant. Il revoyait le cul, les reins, le dos à ressorts de sa belle maîtresse brune, déchaînés par la volupté, et qui ne portaient, il en était absolument certain, aucune cicatrice...

QUESTION DE GOÛT

Mon éditeur me dit :

— Je sors un livre sur la fellation.

Comme il sait me parler, il ajoute :

— Je veux que tu me fasses un texte. J'ai besoin du témoignage d'une femme qui a du talent, une femme qui baise.

Il sait me parler mais ne me connaît pas.

Le talent qu'il me prête m'honore s'il le pense littéraire, et me gêne comme une médaille usurpée s'il le croit factuel. Car je ne baise pas, pas que je sache, en tout cas. Qu'on ne voie dans l'assertion aucune fausse pruderie, aucune hypocrisie, aucune mauvaise foi. Qu'on ne craigne pas non plus la protestation fière, toute vêtue de beaux sentiments Harlequin.

« Moi, Monsieur, je fais l'amour ! » Non, ce que je veux dire en affirmant « je ne baise pas », c'est que je n'exécute par les x figures du Kama-Sutra, je ne jouis pas de tous les orifices de mon corps avec un égal enthousiasme, je ne cultive pas la panoplie de tout ce qu'on peut faire à deux, trois ou plus, je ne suis pas une érotomane érudite, une extravertie folle de son corps, une, qu'on choisisse parmi tous ces registres reflétant la même réalité : jolie salope, bacchante lubrique, sorcière en goguette, saute-au-paf, etc. Je n'aime pas partager mes fantasmes, y inviter autrui, je n'aime pas découvrir ce qu'il y a sous les vêtements des hommes qui pourtant me séduisent, je n'aime pas baiser, pas tout de suite, pas longtemps, pas fort, pas souvent, et surtout, dommage pour mon commanditaire, je n'aime pas prendre dans ma bouche le corps de mes amants. À de très rares exceptions près.

J'ai rencontré le sexe de l'homme, je veux dire le vrai, dressé, humide de convoitise, vernissé d'arrogance, d'un carmin affolant que l'exaltation vire au violet, sur des photos clandestines où mon œil de jouvencelle s'est ému jusqu'à la fascination. J'avais peine à croire que le modèle de ces clichés prohibés et bouleversants pût exister. Quand bien même je l'aurais trouvé, qu'en aurais-je fait ? J'avais quinze ans, et ma curiosité se rassasiait de peu, seize centimètres de chair gorgée luisant sur du papier glacé. Le frisson que le spectacle m'occasionnait était d'ordre purement visuel. J'étais encore une contemplative, même si la contemplation me secouait le ventre d'une alarme torride, mais peut-être est-ce cela, la contemplation ?

Quant à recueillir en moi, au creux de ma main, de mes cuisses, un tel objet et m'en éblouir, je n'en envisageais pas une seconde la possibilité. Ne parlons pas de ma bouche, qui déjà avait du mal à se faire au protocole répugnant du baiser, langue contre langue, salives mêlées !... J'avais même eu un flirt qui bavait, je m'étais retenue plus d'une fois de vomir...

Je multipliais cependant les expériences, avide de tester mon pouvoir de séduction – je me croyais si peu de charme – avide aussi de nouveaux souvenirs. Je connais un délicieux auteur canadien qui confesse : « Je n'aime pas écrire, j'aime avoir écrit. » Moi, je n'aimais pas flirter. J'aimais l'avoir fait et considérer après, avec un recul tout intellectuel et une satisfaction de collectionneuse de pacotille, les scènes où je m'étais compromise avec l'enivrante conscience de mes audaces.

Piètres audaces ! Je me souviens de ce garçon, gentil et intelligent, à qui le naturel tenait lieu de beauté. Il m'avait confié :

— Mon père sait que je suis amoureux, il m'a dit : « Tu as le regard qui s'adoucit, ces temps-ci ».

Rien que pour cette confidence, je le trouvais magnifique d'aisance, moi qui n'avais fréquenté que des petits loulous de quartier à la parole succincte, au vocabulaire indigent.

Ce garçon-là (il s'appelait Dominique, Dominique Chadé, c'est révélateur que je m'en souvienne encore... qu'il se reconnaisse et me contacte, j'aurais plaisir à parler avec lui), un jour que nous étions seuls dans ma chambre, se permit soudainement un geste dont l'incongruité, et ce que je prenais pour de la vulgarité, m'électrocutèrent.

Nous étions assis sur mon lit, côte à côte, nous venions sans doute d'échanger un ou deux baisers très conventionnels, en nous appliquant, de la langue et des lèvres, loin de toute volupté, mais contents de notre savoir-faire, lorsqu'il saisit ma main et la posa sur sa braguette. Je la retirai vivement, comme brûlée, en lui décochant un regard effaré en même temps que désolé. Il eut l'amorce d'un mot d'excuse, puis notre silence changea de bruit, se chargea de gêne.

Un peu plus tard, il se crut obligé de m'expliquer que certes son geste avait été goujat, mais que ma réaction l'avait enchanté, car son invite se voulait une sorte de test pour évaluer ma... pureté ? sincérité ? droiture ? correction ? Quel terme employa-t-il au juste ?

En fait, il avait seulement voulu savoir si j'étais dévergondée ou dévergondable. Il était à présent renseigné et satisfait, il se félicitait, me félicitait aussi de mon effarouchement, de ma retraite apeurée, indignée, qui signait une innocence de bon aloi.

J'en conclus qu'il me prenait pour une oie blanche et lui signifiai rapidement son congé. Il crut sans doute cette disgrâce imputable à son geste et à l'explication cavalière qu'il m'en avait fournie, quand je ne lui reprochais que son estampillage : je n'avais rien à faire du label de fille honnête, il puait toute mon enfance rabougrie et mon éducation sexiste.

Je décidai que plus jamais on ne me ferait subir un tel affront, plus jamais on ne me prendrait en flagrant délit d'effarouchement et de niaiserie. Je voulais être une femme libre, une sorte de courtisane aguerrie, avisée, très à l'aise dans le monde des caresses et du sexe, je voulais qu'on s'époustoufle de mes témérités, qu'on me reconnaisse d'artistiques dispositions, des talents sensuels, une hardiesse tranquille de putain, une lascivité efficace de geisha.

Mon premier amant ne me fit pas jouir, cependant je m'enorgueillis de lui arracher cinq ou six orgasmes. Celui-là, qui ne me marqua que d'un sceau douloureux, cuisant au fond de mon ventre vierge, je me le rappelle. En revanche, celui pour qui, le premier, j'ouvris une bouche servile, fière de dompter mon appréhension et mon dégoût, je ne le revois pas. Il est seulement le numéro un d'une liste informelle et vague, une liste incolore, sinon sans goût – là-dessus il faudra qu'on revienne – le numéro un de la liste des hommes que j'ai sucés.

« Une femme libre » : imbécile ! Peut-on parler de la liberté de l'hétaïre qui, pour régner sur le plaisir de l'homme, et ainsi croire l'asservir, et ainsi croire à sa propre importance, à sa propre séduction, se rend esclave de rites qui la rebutent ?

Mon affranchissement était un leurre pitoyable, un miroir où je me voyais belle d'assurance, délivrée des tabous, formidable d'initiatives voluptueuses, admirable de compétence. Je mettais tout mon cœur, mon cœur soulevé s'il se fût écouté, à des prestations talentueuses et compliquées.

J'adorais orchestrer le trouble de mon partenaire, l'éblouir de trouvailles, le chambouler de taquineries libertines, conjuguer pour lui mes talents oraux et manuels, l'affoler, le faire trembler, l'entendre geindre, supplier, sentir sa main sur ma tête qui encourageait, accompagnait, réclamait encore et encore la caresse, tâchait d'en reculer la victoire, ou la hélait d'une empoignade frénétique, la saluait d'une crispation pathétique dans mes cheveux douloureux.

Je lui donnais la fièvre, le vertige, l'amenais au bord du gouffre où il rêvait de s'engloutir, et seulement là, je retardais la chute, l'explosion, le big bang qui me l'eût livré trop vite, crispé de bonheur, essoufflé et gémissant.

Ma main, sous ses couilles, avait vite appris à évaluer l'urgence, à leur poids, à leur densité, à une certaine forme de révolution mystérieuse qui les agitait, ainsi qu'un ventre de femme en gésine ; elle avait appris aussi à susciter la convoitise, agile à faire rouler dans leur enveloppe velue les noyaux réceptifs et dociles, savante à palper, presser, tirailler, soupeser, flatter, écraser tendrement, intelligemment les bourses que la concupiscence alourdissait et travaillait, qui bronchaient sous mes doigts diligents, comme les flancs des chevaux que les mouches agacent... Mon autre main avait saisi le barreau fermement, et montait et descendait au rythme de mes succions, bientôt mouillée par ma propre salive, aussi bien que par le suc du fruit que je tétais, et qui coulait en abondance...

J'ai retrouvé plus tard, chez des hommes, des hommes faits, mûrs déjà, imbus de leur rôle de dispensateur de plaisir, la même joie passionnée du don, le même orgueil narcissique, la même fausse générosité. Régner sur le plaisir de l'autre, c'est se voir magnifique dans son regard chaviré, magnifique et redoutable, car c'est aussi, quelque part, le dominer et le réduire. Il y a sans doute la même ivresse à prodiguer la volupté que la douleur, et il n'est pas hasardeux que parfois les deux se rejoignent sous le fouet d'un bourreau raffiné.

Oui, à genoux devant mes amants, ou courbée sur leurs trésors palpitants, j'étais un mec, celui qui décide, qui donne, qui reprend pour donner encore, et leurs vertiges m'étaient chers qui consacraient mon pouvoir...

Il me revient aussi que j'ai eu recours, au tout début de ma vie amoureuse, à des caresses zélées et rentables pour, je m'amuse à le confesser, me « débarrasser » plus vite de compagnons trop empressés. J'avais expérimenté le truc avec Peter, un charmant jeune Allemand qui m'avait emmenée sous sa toile de tente sans que je songe à offrir la moindre résistance. J'avais 17 ans. Sous la petite canadienne, il faisait sombre et moite, et le souffle de Peter à mon oreille brûlait d'une éloquente fièvre. Soudain, je réalisai que je n'avais pas envie de coucher avec lui... Je redoutais d'opérer une retraite piteuse et tardivement prude d'allumeuse écervelée, je ne voulais pas non plus lui faire de peine, le décevoir. Je saisis alors ce qu'il ne chercha pas à me refuser, une tige douce et tiède, dressée dans son slip de coton, et le branlai avec une science infuse et vite irrésistible.

Lorsqu'il m'eut humecté copieusement la paume, et que sa bite eut perdu la torride insolence qui la dardait vers moi, il devint tendre, enroula à mon cou des bras de petit garçon reconnaissant, s'endormit presque d'une heureuse lassitude gonflée de soupirs. Sans lui laisser le temps de revenir à des dispositions plus belliqueuses, je partis indemne et ravie de mon artifice.

Plus tard, avec d'autres, il m'est arrivé d'user du même stratagème, mais si l'objet de mes soins se montrait trop longtemps rebelle à mes manœuvres, c'est avec la bouche que j'en ôtais le venin, comme d'une blessure naguère fatale, et bientôt dérisoire.

Transformer la menace en proie consentante et charmée m'emplissait d'un bonheur pervers, je ne risquais plus rien, je déjouais les pièges de la conquête masculine en allant vite, plus vite que mon partenaire, en devançant son désir, en le comblant, en le castrant. Auprès d'un homme qui avait joui, j'étais en sécurité. Il ne me prendrait pas, pas tout de suite, peut-être pas du tout... Il n'entrerait pas dans ma chair, il ne serait pas mon occupant.

Il m'a fallu des années pour réaliser que le sucer, c'était lui permettre une autre sorte d'invasion, peut-être plus intime encore. Le jour où je l'ai compris, j'ai cessé de pratiquer la chose.

D'ailleurs, cette prise de conscience s'est doublée de quelques autres, étonnamment tardives. Je n'aimais pas chez mes partenaires, et quel que soit notre degré de familiarité ou d'attachement, quelles que soient aussi mon attirance, mon excitation, je n'aimais pas l'odeur de leur sexe, ni son goût. Jamais le même et jamais vraiment différent, il se souvenait d'une ère où les hommes étaient tous poissons, crustacés, algues peut-être en des profondeurs saumâtres. Ces effluves océaniques plus ou moins forts, s'aggravaient parfois selon, sans doute, le menu précédemment ingéré, de relents de fenaison...

On va s'étonner, invoquer la malchance :

— Cette pauvre fille n'est donc jamais tombée sur un homme tout frais sorti de la douche, dûment récuré, reluisant de partout et fleurant la savonnette jusque dans les moindres recoins ?

— Si fait, je reconnais aussi cette fragrance-là, le sexe d'homme fourbi, aseptisé et même aromatisé, moite encore d'ablutions consciencieuses. À peine embouché, il sécrète sous la langue un filet gluant un peu salé qui n'a plus rien à voir avec le chèvrefeuille du gel douche. Et je ne parle pas de la salve finale dont, à ce qu'il paraît, certaines voire davantage, seraient passionnément friandes.

Le goût du sperme, âcre quelquefois jusqu'à me brûler la gorge, m'a paru à la limite du supportable. Fallait-il que j'eusse envie de plaire, en mon temps, pour avaler sans grimace cette potion épaisse et récurrente à la violente saveur de sauvagine... !

Peu à peu j'ai fait en sorte de ne pas peaufiner mes pratiques jusqu'à l'irrémédiable, et d'éviter, in extremis, les giclées redoutées. Mais là encore, j'éprouvais aux va-et-vient pourtant soigneusement conservés stériles d'un phallus dans ma bouche, des nausées de plus en plus irrépressibles. Je tentais de garder le contrôle d'une main ferme qui évitait tout achoppement intempestif au fond de ma gorge rétractée d'appréhension. Un coup de boutoir sur la luette, et je n'étais pas sûre de réprimer le haut-le-cœur qui s'ensuivrait, ni ses désastreuses conséquences. J'étais terrifiée à l'idée de vomir lamentablement sur les couilles de mon envahisseur, qui n'aurait pas manqué de me prendre pour une mijaurée, une attardée sexuelle, une petite nature aisément effarouchée.

Mon vieux complexe me revenait au grand galop, pas si puissant cependant qu'il pût endiguer ma répulsion.

Même les séquences de fellation, pendant les films pornos de Canal +, m'accablaient d'un tragique ennui, quand elles ne me bouleversaient pas d'une réaliste compassion : une pitoyable actrice s'essoufflait dans une interminable turlute, crispait autour de l'objet de son culte des joues de suppliciée, des lèvres distendues et grimaçantes... Sur fond de musique au kilomètre, la scène durait, durait, m'occasionnait, si je la regardais trop longtemps, des crampes, des soulèvements d'estomac, une exaspération qui finissait par me faire bondir sur la télécommande. Stop ! J'imaginais de quelles courbatures dans les maxillaires, de quels stigmates dans les zygomas la comédienne avait dû souffrir au lendemain de tels tournages...

Quelquefois encore, cependant, et par pure générosité désormais, je consentais à dispenser la caresse que les hommes ne manquent pas de réclamer. Je ne m'y attardais guère, et ne raffinais pas, bâclant en deux ou trois tétées toniques un biberonnage expéditif que je bornais au seul rôle de préliminaire. Syndrome psychologique ou réelle sensibilité épidermique ? Au lendemain de ces échanges, je souffrais radicalement de brûlures sur la langue... J'étais bel et bien devenue allergique non seulement à la fellation, mais même au plus timoré de ses simulacres ! Je persiste à souffrir aujourd'hui, et loin de toute pratique sexuelle orale, de ces sensations de brûlures, extrêmement invalidantes. C'est toujours dans des périodes de stress intense. J'en déduis à quel point, jadis, a pu me peser l'octroi de ma bouche, et de ses manœuvres courtisanes...

L'auteur canadien que j'évoquais tout à l'heure a mis un comble à ma perplexité un jour, en me narrant comment avait fini, pour lui, une soirée que nous avions passée ensemble.

C'était un soir de manifestation littéraire à Grenoble, où nous étions intervenus, lui, moi, quelques autres auteurs, pour témoigner de notre travail d'écriture. La journée s'était terminée par un banquet dans un restaurant bondé, et une journaliste de taille sculpturale, la jambe longue, la fesse haute, l'air très décidé, s'était jointe à notre tablée. J'avais remarqué qu'elle coulait vers le bel Alain des regards gourmands.

— Elle s'est débrouillée pour venir dans ma chambre, m'a-t-il confié, elle s'est jetée sur ma braguette et a commencé à me pomper en poussant de vrais grognements, tellement forts que j'en étais gêné. Ah ! celle-là, je t'assure ! Quelle bouffeuse de saucisse ! ! !

Voilà une scène que j'écrirais volontiers, que j'ai même sans doute déjà écrite plusieurs fois, mais que je me sens totalement incapable de vivre.

Quel plaisir peut-on prendre à se ruer sur un sexe inconnu, à l'emboucher frénétiquement, à le dévorer gloutonnement ? S'agit-il d'un reliquat de toute petite enfance mal conjurée ? D'un désir inconscient de s'approprier l'autre, de l'ingérer ? D'une façon de coller, sans le vouloir, à l'image mythique de la mangeuse d'homme ? Faut-il y voir, comme chez moi lorsque j'étais encore une jeune femme mal à l'aise dans sa sexualité, dans son corps, dans son rôle, une soif de pouvoir, un besoin d'éblouir, de combler, d'asservir ou de se soumettre ? Et l'homme qui se laisse ainsi consommer, qu'en pense-t-il ? Se réduit-il, consentant, béat, bientôt enivré, à ses seules sensations ? Ne pense-t-il pas quelquefois : « Que suis-je pour elle ? un objet ? une proie ? un bourreau ? » N'a-t-il pas à cœur de se reprendre, de se refuser, de se garder loin des compromissions d'un conventionnel code de la bienséance sexuelle ? À se trop donner, je crois qu'il gâte le plaisir, et le fantasme...

Il me revient cependant en mémoire la silhouette d'un grand jeune homme blond. C'était il y a des années. Son air doux et grave, indulgent à mon ébriété de ce soir-là, m'avait incitée à lui arracher un rendez-vous. Il m'avait répondu avec une gentillesse triste :

— Oh ! moi, tu sais, les femmes...

J'en avais déduit qu'il était homosexuel, ce qui n'était pas pour me déplaire. Je prise depuis longtemps la compagnie des hommes dont la virilité s'émousse, balbutie ou dédaigne la gent féminine. J'aime les vieillards, les pédés, je me sens libre avec eux, d'une liberté que ne menace aucun outrage intempestif, aucun caprice de conquérant.

Me voilà donc en visite dans la petite chambre universitaire de ce garçon charmant mais embêté, qui me reçoit en s'excusant. La pièce est minuscule, très peu de confort, un lavabo dans un coin, un lit étroit sur lequel nous nous asseyons, faute de sièges. Je me fais câline contre lui, il me ressert son soupirant aveu :

— Moi, tu sais, les femmes...

Ma joue dans son cou, et d'une voix dénuée de toute inquiétude, de tout scandale, je l'interroge :

— Tu préfères les garçons ?

— Non.

— Alors ?...

Alors ? Alors il me raconte que jusque-là sa vie

sexuelle a été un enfer parce que toutes les filles qu'il a connues et désirées, il n'a jamais pu les pénétrer.

— Comment, jamais ?

— Jamais !

— Mais pourquoi, tu ne bandes pas ?

— Si, regarde !

Je regarde, je touche, je m'émeus de son émotion, un bel hommage vibrant, tonique, qui s'offre à ma caresse et y répond avec enthousiasme.

— C'est que, au moment d'entrer, j'ai trop mal.

Trop mal ? Nous sommes tout nus sur sa couche exiguë, je penche sur mon tourment un œil vite renseigné :

— C'est un phimosis.

— Un quoi ?

Son étonnement m'afflige. Jamais personne ne lui a expliqué que son prépuce trop serré ne lui permet pas de décalotter. Son gland, congestionné, est prisonnier là-dedans, et s'irrite du moindre frottement.

— Tu te branles, quand même ?

— Oui, mais sans tirer dessus. Ça me ferait hurler !

Bien sûr j'ai conseillé d'aller vite, vite, consulter. Pour un peu, je l'aurais amené moi-même aux urgences. Mais la perspective d'une visite médicale et d'une intervention probable semblait l'accabler.

— Écoute, ai-je dit, ce n'est pas grave.

Son silence me faisait peine, ses yeux pensifs, son air sombre. Il n'osait plus me toucher.

— Tu vas t'en aller ?

Je l'ai repoussé sur l'oreiller, d'une main sûre :

— Je reste !

J'ai pris son sexe dans ma bouche, avec mille précautions. Je lui ai fait un berceau de douceur, de tiédeur, d'onctuosité. Je l'ai mouillé partout, d'une langue prudente et tendre, ai fait le tour de sa douleur, l'ai endormie de volupté, charmée, apprivoisée. Son gland, dans la cagoule étroite, roulait sous mes lèvres, une houle bienheureuse le berçait en moi, qui m'ouvrait pour le recevoir, l'ondoyer, le noyer, toujours plus loin, toujours plus profond. Il a gémi, un long gémissement ambigu qui m'a dressée dans l'ombre :

— Mal ?

— Non, oh ! non ! continue !

J'ai déchaîné mes audaces et multiplié mes offrandes, léché son barreau lentement, méthodiquement, avalé ses couilles, aspiré encore et encore, le plus délicatement possible, l'abcès mûrissant, gonflé à craquer dans son méchant corset, et enfin il est venu à moi, le bassin haut, les paumes élargies, offert comme un martyr, sans crier, sans gicler, il a seulement débordé lentement, sa sève a coulé, abondante et tranquille, il était devenu une fontaine murmurante, une source extatique, intarissable... Après il a soulevé la nuque, a posé sur moi un regard trouble qui revenait d'ailleurs, il a chuchoté comme une prière :

— Mon Dieu, mon Dieu, je ne veux pas que tu partes ! Qui viendra me faire des choses aussi douces ?

Ce que j'ai donné ce soir-là, et redonné encore à ce jeune homme blond, autant qu'il me l'a demandé, ce que j'ai reçu aussi, le don de sa confiance, de son éblouissement, le don de ses mains sur ma peau, de sa bouche, avide d'un pouvoir à partager, le don de son espoir, tout cela me restera toujours infiniment précieux, comme un moment d'ineffable, d'inoubliable grâce...

Ce que je viens de raconter a-t-il grand-chose à voir avec les propos de mon éditeur ?

J'hésite à qualifier de fellations les caresses que j'ai prodiguées, qui n'étaient qu'un moyen de rencontre au-delà du problème de mon partenaire, ou grâce à ce problème, justement.

Je ne sais pas pourquoi, dans le terme « fellation », j'entends quelque chose de technique, ou de violent. Pourtant l'origine latine du mot *fellare*, c'est-à-dire « téter », « sucer », évoque l'univers de la toute petite enfance, l'époque de la symbiose avec la mère. Oui mais, pour moi, le rapport à la mère est souvent entaché de violence. Le petit être qui se nourrit du corps d'une femme me semble une sorte de vampire, crispé de convoitise, acharné dans sa voracité, poings serrés, sourcils noués, gencives implacables sur le mamelon tendre. Une lutte pour la vie, contre qui vient de la lui donner, et s'y emploie encore.

Cette violence, cette fringale irraisonnée, viscérale, je l'ai quelquefois ressentie, je la ressens encore quelquefois. Exclusivement avec l'homme qui partage ma vie. Cela se comprend, il est multiple pour moi, tout à la fois, mon enfant, mon frère, mon ami, mon ennemi, mon père et ma mère, mon amant.

Dans les moments privilégiés où nous faisons l'amour vraiment, je veux dire comme si nous n'étions pas mariés, pas ensommeillés, pas meurtris par les petites douleurs de l'âge, pas englués par la routine et la trop grande connaissance de l'autre, je veux dire aussi comme si nous étions deux animaux doués de parole, dans ces moments-là, l'excitation qui s'empare de moi confine, oui, à la violence, à la bestialité. J'ai entre les cuisses un gouffre d'impatience, un brasier fou, et je commente mon incendie avec des mots qui l'attisent encore, des mots qui étincellent et crépitent dans le noir. Au-dessus de moi, comme un diable au sabbat, comme une bête poussée par l'instinct, il m'offre le magnifique triple joyau de son sexe lourd, couilles pleines, comblées de leur propre poids, barreau épais, solide, huilé de désir, gorgé de vie. Je le découvre de doigts émerveillés, je sens son odeur enivrante, je le hèle en me tordant, et s'il résiste, je le tète avec ma bouche comme s'il était planté loin dans mon ventre, un vertige m'affole, me bouleverse, je vais jouir avec ma langue, avec mes lèvres, avec ma gorge tout entière ensorcelée, je lèche, je suce, je mords, je glisse et reglisse sur la belle ramure torturée qu'il cherche à me reprendre, il dit :

— Arrête, arrête ! et capitule enfin, il se retire pour plonger en moi, investir mon sexe qui meurt de l'attendre, et là, un autre prodige m'enchante, j'ai l'impression de percevoir son goût avec toutes les muqueuses, tous les replis de mon ventre affamé, je me mets à le manger, à le mâcher, à le broyer comme s'il était encore entre mes dents, et je jouis en lui demandant :

— Tu sens que je te suce ? Tu le sens ?

— Oui, dit-il. Oui. Je le sens.

Et il jouit avec moi.

Pour ce moment unique, jamais connu ailleurs, jamais reçu d'autrui, je sais, profondément, que je l'aime.

Ragots

Été 1965.

Philippe était soldat, dans une caserne morne d'une ville de province. Docile par paresse, il exécutait sans état d'âme les ordres qu'on lui donnait, entretenait avec les camarades des relations loin de toute passion, et pensait souvent, quoique vaguement, aux filles...

Un jour, on le désigna pour une corvée banale, ni éreintante ni humiliante, et dont il n'escomptait pas le bénéfice plaisant qu'il en retira... Il s'agissait d'une ou deux courses à faire dans la caserne même, entre autres du linge à rapporter de la blanchisserie chez Madame la commandante Severol.

On lui remit le paquet de la commandante avec des sourires grivois et des mises en garde contradictoires qui l'intriguèrent un peu.

— Fais attention, hein ! Elle est très puritaine et très guindée. Ne va pas lui faire d'avance ! Ça barderait pour ton matricule !

Philippe, ainsi averti, ne s'attendait pas, en frappant à la porte de Madame la commandante Severol, à l'accueil qu'elle lui réservait. Elle était étendue dans une sorte de chaise longue, et son déshabillé transparent laissait entrevoir un corps d'où la beauté, malgré sa visible cinquantaine, avait omis de se retirer. Elle semblait très lasse, très contrariée, ne se leva pas lorsque, sur son ordre, Philippe fut entré avec sa corbeille dans les bras ; elle lui dit :

— Posez ça là ! en désignant un siège, puis : c'est bien, et enfin : comment vous appelez-vous ?

Il se présenta, au garde à vous.

— Repos, dit-elle, repos, jeune Philippe. Comme moi ! Reposez-vous. On ne se repose jamais assez... Moi, si je ne me reposais pas... Je suis fatiguée de cette vie de caserne... Si fatiguée...

Elle levait ses mains nouées, étirait hors du déshabillé noir de beaux bras encore frais. Philippe n'osait pas se retirer. Elle le prenait à témoin, en veine de confidences...

— C'est mortel, pour une femme, vous savez... Tous ces hommes, tous ces hommes...

Elle avait des traits fins, malgré son nez un peu busqué... Ses paupières tombaient lentement sur deux iris d'un bleu pâli...

— Tous ces hommes... Pire que des femmes... Des ragots, des mesquineries... J'en pleure, parfois, toute seule...

Elle était blonde sans agressivité, et ses cheveux courts, mollement ondulés, se rejoignaient dans un même mouvement, derrière la nuque. Elle entreprit de se lever, décroisa les pieds, les sépara, posa une jambe à terre. Impossible de nier l'authenticité de sa blondeur...

Philippe n'avait plus envie de partir... Elle se mit debout. Elle était de stature imposante, plus grande que lui. Des bagues brillaient à tous ses doigts, ses ongles laqués de rouge vif accrochaient la lumière. Elle se recoiffa, d'une main négligente, découvrit, pour Philippe, une aisselle mousseuse où chauffait un parfum capiteux :

— Et personne, personne à qui parler. C'est le plus dur...

Elle plongea deux doigts dans le décolleté de son vêtement, extirpa, d'entre ses seins qui captivaient Philipe, un mouchoir de dentelle roulé en une petite boule odorante, le lui agita sous le nez...

— Ce qu'ils ont raconté, ce qu'ils ont raconté sur mon compte... Vous ne pouvez pas savoir...

Elle tamponna ses yeux bleus qui demeuraient secs, se mit à parler du nez comme quelqu'un qui vient de pleurer longtemps :

— Voyons ce linge, fit-elle en avançant vers la corbeille. Elle le frôla. Il sentit sur ses mains l'envol léger de ses manches papillon, ouvertes jusqu'à l'épaule.

— Des médisances pures et simples, continuait-elle. Pures et simples. Vous devriez leur dire, si vous en entendez parler...

Elle regardait sans attention les draps pliés, les soulevait négligemment. Elle se tourna brusquement vers Philippe :

— Vous en avez entendu parler ? Bien franchement ?

Il fit non, de la tête. Elle s'approcha, l'attrapa au ceinturon :

— C'est bien vrai ? Bien vrai ?

Elle faisait jouer la grosse ceinture, tout en le scrutant toujours au fond des yeux, de ses prunelles de lavande passée...

— Si on vous en parle, vous leur direz que ce ne sont que des ragots... Que vous m'avez rencontrée, qu'il ne s'est rien passé... Que je suis une honnête femme, respectable...

Il l'aidait à présent, se déboutonnait fébrilement en jurant :

— Je leur dirai, oui, oui, je leur dirai.

Elle le poussa, l'obligea à reculer jusqu'à la méridienne où il se laissa choir... Elle s'empara de lui d'une main qui ne tremblait pas.

— Promettez-moi, ordonna-t-elle.

— Je le promets, je le promets..., articulait péniblement Philippe, au comble du trouble.

Elle était à genoux devant lui, avançait sa bouche vers sa verge dressée qu'elle jugulait sans égards.

— Avec toi, c'est spécial, dit-elle.

Elle le happa... Il gémit sous la caresse avide. Elle le tétait d'une langue frénétique... Elle le laissa échapper, volontairement, poursuivit :

— Toi, dès que je t'ai vu...

À présent, elle sortait du décolleté vaporeux ses deux seins ronds, posément, les disposait, laiteux, rebondis, ponctués de pointes mauves.

Elle s'approcha, tout près, tout près, entre les jambes de Philippe, émit un long soupir hoquetant, comme après un gros chagrin, saisit à nouveau son sexe, s'appliqua à le nicher au plus moelleux de sa poitrine, entre les deux globes blancs et mauves qu'elle tenait serrés d'une main, l'un contre l'autre, en assurant :

— Toi, toi, je te prendrai partout, partout...

Philippe considérait d'un œil plus que passionné le paysage vallonné et symétrique qu'offrait, entre ses jambes, leur étrange accouplement. De part et d'autres, deux masses claires, que la compression rendait plus dodues et plus toniques encore que de nature, et au milieu, le bout de son membre qui affleurait, plus sombre, d'un rose violacé, partagé d'un sillon humide élargi sous la caresse...

Elle le fit aller et venir le long de l'étroite vallée qu'elle lui ménageait toujours. Philippe se sentait pris dans un étau de velours, ravagé de douceur... Sa queue glissait dans le double fourreau de sa propre peau et des mamelles fermement rassemblées de sa partenaire. Son gland apparaissait et disparaissait à une cadence de plus en plus soutenue, de plus en plus intenable...

Il pensa : « Je vais jouir dans un coussin... », se crispa, en grimaçant, au bord de la joie.

Mais elle lâcha prise soudain, recula une nouvelle fois.

— Non ! s'exclama-t-elle. J'ai dit partout !

Elle se redressa, sans songer à rajuster dans la corbeille de son décolleté, sa gorge, au creux de laquelle luisait la trace argentée d'un passage ému... Philippe demeurait assis, essoufflé, désemparé. Il la vit retrousser la jupe de son déshabillé.

— Tu leur diras bien ! dit-elle. Tu vois, j'ai encore de belles jambes ! Hein ! Si je voulais...

Elle n'inventait rien. Elle possédait des jambes superbes, droites et solides, bien galbées, décidées. Elle en plia une, posa le pied sur la chaise, en maintenant relevé son vêtement, qu'elle roulait de ses deux mains sur ses reins. Ses fesses blanches, écartées par sa pose lubrique, n'avaient rien à envier au reste.

Philippe perdait la tête. Il bondit de son siège, agrippa fermement les hanches qu'on lui offrait, s'arc-bouta, jarrets ployés et bassin basculé, tâtonna une seconde ou deux, la trouva finalement, profonde, juteuse, bouillante.

— Alors ? interrogea-t-elle en le regardant par-dessus son épaule. Que leur diras-tu ?

Philippe, entre ses dents serrées, marmonna :

— Imprenable ! Pas la peine d'essayer.

— Encore ! dit-elle. Encore ! Quoi d'autre ?

— Un glaçon !... Un iceberg...

— Encore. Va bien loin... Bouche-moi à fond ! Quoi d'autre ?

— La femme la plus inaccessible que j'aie jamais vue...

— Ah ! grinça-t-elle. Tu me plais !... Quoi encore ?

— On aimerait... On aimerait...

— Quoi ? Quoi ?

— La fourrer, la faire gueuler...

— Et puis ? Et puis ?

— Pas moyen... expira-t-il, en s'écroulant sur elle.

— Tu l'as dit ! approuva-t-elle, dans une espèce de cri aigu qui n'en finit plus de couiner...

Ils se séparèrent. Elle laissa retomber son vêtement, porta d'un geste déjà testé, la main à ses cheveux. Cette fois, elle sentait un peu la sueur...

— Bien, dit-elle enfin. Je compte sur vous.

Elle le raccompagna à la porte.

— Et la prochaine fois, vous l'avez vu, inutile d'insister... Je suis bien bonne de ne pas dénoncer vos audaces... Oui, marmonna-t-elle encore tandis qu'il descendait l'escalier, sans doute trop bonne...

Relookage

Lundi 18

Sale bonhomme,

Tu es parti trop vite en disant :

— Réfléchis !

Après le bruit de la porte claquée, plus d'âme dans l'atelier lugubre. Tu avais emporté la vie. J'ai tout regardé, tout caressé, j'ai même posé ma joue sur ton tapis préféré ; j'étais à genoux et les fesses hautes, comme lorsque tu m'y courbes d'une poigne sans appel, et je pleurais dans les poils. Ridicule, non ?

« Réfléchis ! » Tu as de ces mots ! Je me suis traînée dans la salle de bains, pour prendre une leçon de réflexion. Le miroir, plus indulgent que toi, m'a consolée. Je me suis trouvée belle, et pas si gourde que ça. Pas si... comment as-tu dit ? « intello frigide » ?... « masturbée de l'encéphale » ? Tes mots me revenaient, blessants, galvanisants. Je t'ai haï. J'ai enlevé ma grande blouse d'« artiste guindée » (je te cite). Ma culotte aussi. Mon corps avait moins de chagrin que moi. Il a tourné un peu devant la glace, a exécuté une petite danse courtisane. L'idée m'est alors venue : mes chaussures de pute, avec mon tee-shirt noir d'« éternelle étudiante », un mariage réussi, non ? J'ai armé l'appareil photo, manipulé le retardateur... Voilà ce que son œil, qui sait réfléchir, lui, a capturé de moi. Je t'envoie le cliché. Bon souvenir de ton intello frigide. Montre ça à tes copains, qu'ils s'étonnent :

— Quoi, ça, une cérébrale ? Dommage de l'avoir perdue de vue !

Sur la photo, je n'ai pas l'air très torturée. Plutôt sereine, même. Froidement déterminée. Je venais de me branler sur le fameux tapis.

Mercredi 20

Cher salaud,

J'ai recommencé. On y prendrait vite goût. Tu te moquais (aussi) de mon prénom : « Emma, comme la Bovary ». Je n'ai plus rien, je te le jure, plus rien de l'héroïne de Flaubert. Plus de cas de conscience, plus de ces délicatesses qui parfois t'horripilaient. Plus de réticences, plus d'hésitations. J'ai envie de toi. Si tu viens, je te ferai, promis, la même mise en scène. Tu vois la toile (celle qui t'arrachait des grimaces) ? Elle m'a servi de témoin. On l'enlèvera, si tu y tiens. Je descendrai ma culotte, comme sur la photo. Rien que pour toi. Je me donnerai en spectacle. Tu pourras me voir de dos aussi, mais, si tu l'exiges, je t'abandonnerai mon regard, pardessus mon épaule. Tu auras tout à la fois. Mon ventre que tu adores, mon attitude soumise, le bruit du jet que tu auras ordonné, et mon visage, concentré par le désir de te plaire. Je t'aime, je t'attends. Je ne peins plus rien, je fais des cochonneries toute seule en te rêvant. Le tapis me voit ouverte dans toutes les positions, et s'interroge sur ma solitude. Je n'ai plus remis ma blouse. Je me promène à moitié nue devant l'objectif rond de cet appareil idiot. Je pense à ta queue. Reviens.

Jeudi 21

Mon amour,

Je voudrais que tu apprécies toutes les nuances de la photo. Toutes. Autant de compromissions, d'abdications de ma part. Autant d'offrandes. Les chaussettes blanches ? Oui, je saurai être la petite fille que tu aimes. Les chaussures noires ? Je serai pute quand tu voudras, au même instant s'il le faut. Les bas fumés ? Bourgeoise affolée... Le sol abrupt, le fond glauque ? Tu me prendras comme un sale petit voyou dans une zone portuaire qui sent le mazout et la mare croupie. Regarde bien mes mains, ce qu'elles t'octroient, où elles te guident. Je te livrerai mon cul aussi, pas à la sauvette, comme avant. Non. Somptueusement, à pleins doigts, je l'ouvrirai pour toi comme on ouvre un fruit juteux, je t'appellerai, tu ne pourras pas résister, un désir fou enflera ta pine vers moi, je resterai ainsi, à me tendre, mes fesses te donneront la fièvre, tu les écraseras sous tes coups de boutoir féroces. Je m'entraîne, devant la glace, à des poses de plus en plus terribles. Emma a basculé de l'autre coté du miroir. L'œil de l'appareil, rond, noir, a fixé mon trou du cul avec un mimétisme troublant. « Réfléchis ! Réfléchis ! » Je sentais son coup d'œil glacé me poignarder entre les fesses, et je m'écartais de plus belle.

Samedi 23

Homme de ma vie,

J'ai bu, j'étais trop triste. Maintenant, ça va. J'ai développé à l'instant les épreuves prises pendant ma petite fête solitaire. J'ai choisi celles-ci, que tu devrais apprécier. J'ai le regard un peu vague, l'air amusé, à peine. Oh ! je ne m'amusais pas vraiment. Mon champagne était amer, tu sais. J'ai sorti mes seins, face à l'appareil. Pour qu'ils soient mes ambassadeurs. Je repense à ton conseil : « Réfléchis ! » C'est peut-être ça, réfléchir : sortir ses seins, les flatter, les caresser, en faire durcir le bout. Penser : « S'il était là, il les prendrait dans sa bouche, il y enfouirait son visage, il banderait comme un fou... » Mes mains se sont perdues, mon amour. Je me suis fait jouir toute seule et je n'ai pas osé me photographier à ce moment-là. Pas osé, pas pu. C'était trop tôt, je n'étais pas assez partie. Après, ça a été très vite trop tard.

Pardon pour mes timidités. Je t'aime et j'essaierai. Ne réponds pas tout de suite. Ne reviens pas tout de suite. Laisse-moi le temps d'y arriver.

Jeudi 28

Chasseur indigne,

J'ai retrouvé ta carabine ! En rangeant la grande toile que tu n'aimais pas, et que j'ai mis une passion vengeresse à terminer : enfin tranquille, plus personne pour me détourner, à coups de ricanements entendus et de caresses diaboliques, de Mon Œuvre. J'étais fière, presque heureuse. J'ouvre la porte du réduit pour la poser et, dans l'ombre, l'étincelle maligne de ton arme oubliée ! On s'est senties complices, toutes les deux, pareillement utiles pour tirer un coup, mais aisément remisées. Même douceur de peau, aussi. J'ai touché son bois luisant. J'ai pensé à tes mains sur elle. Sur moi. À tes regards. À tes exigences. Je lui ai tout raconté, tout montré :

— Il voulait que je pisse devant lui, comme une petite fille. En m'écartant bien. Il voulait voir le jet entre mes poils, ma fente béante, mon expression d'enfant placide qui se soulage. Jamais je n'ai voulu. J'avais honte.

Eh bien, mon amour, j'ai conjuré, avec la tristesse, la honte aussi. Clic-clac ! L'appareil était là, regarde bien : je l'ai fait ! Tu vois comme j'ai l'air résolu ? Tu vois mon ventre arrogant, mon sexe offert ? Alors imagine : je me suis accroupie, comme si tu avais été là, les genoux bien ouverts, et j'ai pissé longtemps, très dru, toute frémissante de ton souvenir, en t'appelant mentalement. Tu n'as rien entendu ? Étrange... Ça s'est terminé par de très gros soupirs...

Ta carabine te le confirmerait, si tu venais la chercher.

SERVICE SECRET

L'interpellée n'a pu justifier d'aucune identité, mais prétend s'appeler Lili Staub et travailler pour les services secrets berlinois. S'exprimant dans un français impeccable avec une pointe d'accent allemand, elle explique sa présence très dévêtue au cœur de Montmartre dans la nuit du 31/03 au 1/04/1947 d'une façon assez rocambolesque.

Voici sa déposition :

J'ai été investie d'une mission : approcher au plus près le baron Von Stassi, impliqué dans différents trafics dont on ne m'a, en fait, rien précisé. Il fréquentait une maison de rendez-vous parisienne et s'y encanaillait parfois plusieurs jours durant. J'ai vite compris que, pour bien observer Stassi, il fallait d'abord séduire Rita, sa préférée. Une belle salope brune qui s'exhibait devant les satellites du baron : hauts talons de pute, corset lacé, jarretelles, gants noirs, et surtout un cul arrogant qu'elle prodiguait sans avarice à tous les regards intéressés. À chacune de ses apparitions, un photographe était là. Je pense qu'il faisait partie de la mise en scène. En tout cas, le travail ne devait pas lui déplaire. Il rampait avec une ardeur éloquente entre les magnifiques jambes de Rita pour saisir d'elle des points de vue ordinairement imprenables. Il existe un cliché où on la voit caresser le crâne de Stassi. Il fume un cigare et, de volupté, ferme derrière son monocle un œil de chat comblé. La photo ne montre sûrement pas à quoi il occupe sa main gauche. Moi, j'essayais de l'ignorer aussi, tout en apprivoisant Rita de doigts encore novices.

Stassi a quand même fini par me remarquer. Il m'a demandé une prestation plus active. Nous avons dû nous caresser mutuellement, Rita et moi, sous le regard de ses amis, une faune étrange et disparate que je peux citer de mémoire : deux individus louches, cheveux longs, lunettes noires, deux femmes, deux lesbiennes à ce que j'ai compris, l'une très femme d'affaires (une banquière peut-être) et sa compagne, plus effacée. Il y avait aussi un valet stylé qui contemplait nos ébats avec une indifférence patiente et convenable.

Au début, j'étais mal à l'aise. Je n'avais encore jamais eu à jouer un rôle si délicat. J'ai commencé par singer Rita. J'ai ouvert les jambes comme elle, avancé la main comme elle. Je me suis appliquée à lui ressembler ainsi qu'un double inversé, dans un miroir trouble. Nos fesses se touchaient. J'étais le reflet blond d'une déesse brune cambrée dans la recherche du plaisir. Je me suis cambrée aussi, et le jeu s'est mis à me passionner. Je n'ai vraiment perdu la notion de la réalité qu'au moment du narguilé. Pas question de faire semblant, même si les poses des trois fumeuses se devaient d'être apprêtées et lascives. Anna, la troisième fille de la partie, me surveillait d'un œil jaloux et soupçonneux. J'ai aspiré le mélange opiacé, et ma vue s'est brouillée, ma tête a tourné. Par la suite, les événements se sont bousculés.

Rita m'a déshabillée, a enfilé, par jeu, ma gaine

noire. Je l'ai aidée à en fixer les jarretelles. Elle s'est prêtée complaisamment à mes attouchements en levant haut la jambe. Elle montrait à Stassi (et au photographe toujours à l'affût) sa fente épilée, ses lèvres charnues sous ses fesses parfaites. Je fumais alors une cigarette douteuse, et le vertige se prolongeait en s'amplifiant. Je ne me souviens plus que de vagues images...

Rita à genoux devant moi, son visage entre mes cuisses, et moi offerte, heureuse, oublieuse du reste du monde. J'avais une main sur ses cheveux, j'en garde le souvenir soyeux dans la paume. Lorsque sa langue devenait trop brûlante, je tirais convulsivement sur sa crinière, mais elle demeurait muette et diligente. C'était moi qui gémissais.

Je me revois aussi sur une chaise : Rita s'est jetée à plat ventre en travers de mes jambes. Le spectacle de son cul ouvert aurait affolé un saint. Pour la première fois de ma vie, j'ai senti un désir, un vrai désir d'homme pour une femme. J'avais envie de la prendre, de la saccager, et elle se trémoussait sur moi, appelant l'invasion, ruant des talons, ondulant de la croupe, renversant au plafond une tête de cavale mordue. Son sexe glabre et dodu de petite fille me fascinait. Je rêvais d'y mettre mes doigts, ma bouche, de boire son odeur, de l'ouvrir encore et de m'enfouir entière en elle.

Je me souviens aussi d'un baiser, où nos poitrines se frôlèrent d'abord pour s'écraser ensuite l'une contre l'autre. Le choc de deux planètes moelleuses, entre lesquelles le long pendentif dont elle m'avait affublée se lovait comme un serpent frileux. Je crois qu'à cet instant, nos mains ont usé de toutes les permissions, mais je ne jurerais de rien, j'étais étourdie d'alcool, de fumée, de plaisir.

Comment me suis-je retrouvée dehors ? J'avais aux

pieds des mules de cocotte, sur les épaules cette étrange parure de perles froides qui m'agaçait le bout des seins. Rita, très empressée, m'étreignait de ses bras et de ses jambes. Autour de nous, le décor nocturne me paraissait irréel. Étions-nous sous un pont, au pied d'un monument ? Je ne me rappelle avec précision que la fente de Rita écrasée sur ma hanche, que son sillon humide et frénétique dans la quête de la jouissance. Nous fermions les yeux, elle roucoulait une petite plainte amoureuse et enivrante. Derrière moi, la pierre glacée d'une colonne hérissait ma chair de frissons supplémentaires. Le photographe était toujours là, silencieux et absorbé dans sa besogne. Stassi et les autres avaient disparu. Mais depuis combien de temps ? Nous avaient-ils suivies dans la rue ? Nous avaient-ils seulement incitées à nous y rendre ? Le mystère reste entier, je ne garde de précise que la mémoire de l'odeur de Rita, son parfum de musc qu'alourdissaient les effluves de ses aisselles moites, de son fourré mouillé.

Puis j'ai fumé encore... On m'a passé un imperméable, une sorte de ciré crissant et raide. Soudain Rita a ri méchamment, m'a jeté « Petit flicaillon de pacotille ! » et s'est évaporée aussi énigmatiquement que les autres. J'ai dû marcher dans les rues, au hasard. Je crois que vos agents m'ont arrêtée un peu plus tard. J'étais nue sous l'imper. Je devais avoir un drôle d'air. Quand les phares de leur voiture m'ont braquée, je n'ai pas cherché à fuir.

Après recherches, il a été établi que la maison de rendez-vous indiquée par l'interpellée n'existe pas. En revanche, le commissariat du 9e arrondissement a reçu, le lendemain de l'arrestation de ladite interpellée, la série de clichés photographiques joints à ce dossier.

Ce rêve étrange et pénétrant

Ma vie est un merveilleux enfer. Je baise deux démones hargneuses et susceptibles, qui ne se supportent pas. Quand j'ai rencontré Lee et Lou, dans ce cocktail baroque où j'avais déjà pas mal bu, j'ai cru voir double. Ni jumelles pourtant, ni même sœurs, elles cultivent un étrange mimétisme. Même taille, même corps de sirène, même blondeur, même petite gueule sauvage et butée. J'ai pensé que ce serait drôle de me faire la paire. Disons qu'il y avait erreur sur l'objectif. Les draguer, déjà, ostensiblement, l'une et l'autre à la fois, relevait d'un sport ardu et compliqué. Je les ai senties rétives et rivales, allumées de combativité mauvaise. Depuis, je perds mon âme à les monter, l'une après l'autre. Leur antagonisme fiévreux me passionne, leur jalousie m'excite, au point que je me suis un jour volontairement laissé surprendre par l'une en train de chevaucher l'autre. Ah ! mes diablesses ! Quelle frottée elles se sont collée ! Quel spectacle pour un homme, que ces deux luronnes déchaînées, qui se défient et se menacent, l'œil haineux, le poing brandi, la parole aigre ! Mon usine à fantasmes s'est mise à fonctionner dare-dare. Mon cinéma privé me les a projetées à poil sur un ring, gantées et bottées de cuir et parfaitement symétriques de part et d'autre d'un axe imaginaire : leur désir de moi, exclusif et vengeur. Je les vois, je les vois, mes démones ! Le menton haut et la mâchoire prête à mordre, et l'insulte qui fuse comme un crachat ! À leurs côtés, deux pauvres types perplexes et envieux, qui pensent « Putain qu'elles sont belles, les salopes ! En a-t-il de la chance, l'objet du duel ! » Elles sont éblouissantes, mes boxeuses. Leurs courbes sculpturales ruissellent et luisent sous les lampes. Leurs crinières de cavales, trempées par la lutte, fouettent l'air au gré des coups. Leur ballet violent me captive l'œil. Jeux de jambes, jeux de cuisses. Au hasard d'un bondissement, j'entrevois les mystères de leur sexe. Une manchette à gauche, c'est un sein rond qui tremble, un direct du droit, c'est la taille qui ploie, le cul qui s'arrondit dans la cambrure de la chute... La victime a tourné sur elle-même, enveloppée de cheveux, vrillée par la douleur. L'autre triomphe, dents serrées, masque inhumain.

Dans un coin du ring, c'est la pause. La vaincue s'abandonne à la douche du boy. Il l'inonde d'une éponge généreuse, en rêvant d'autres geysers. Rêve toujours ! Elle est à moi, avec ses seins tendus, son cou offert, sa chatte béante entre ses cuisses musclées. N'était cette faille fascinante, à peine ombragée d'un crin ras, tu croirais voir le ventre d'un jeune mec, un éphèbe troublant de grâce ambiguë. Une vision à vous chambouler les tripes, cette créature androgyne, avec ses petits muscles nerveux et sa peau qui brille ! Elle grommelle comme un jules en colère, fielleuse et terrible :

— Je te préviens, je vais la crever, cette garce !

Que répondre ? Supplier ? Demander l'indulgence, le pardon ? Alors ma chaîne à délires me joue des tours.

Et si elles se réconciliaient, mes deux harpies ? Si elles faisaient la paix dans mon dos ?

L'idée m'enfièvre. Je bande à me les représenter comme je ne les ai jamais vues, soudainement complices et très intimes. Leurs bouches se cherchent, leurs seins se touchent, leurs cheveux se mêlent, leurs mains s'égarent. L'hostilité qui les armait l'une contre l'autre a mouillé leur joli cul et incendié leur ventre. Lee, la plus virile, s'avance à la conquête d'un fruit dont elle dénigra jusqu'ici la saveur. Lou, cette pute, lui tend ses lèvres, bombe le ventre, ouvre les jambes et l'appelle. Qu'est-ce qu'elles veulent, ces vicieuses, qu'est-ce qui les motive ? Qu'est-ce qui les fera jouir ? Se baiser, ou me baiser ? Dans leur allégresse à se gougnoter, je sens l'exaltation d'une revanche. Elles me trompent les salopes ! Partout où j'aimais m'attarder, elles s'attardent à leur tour. Elles se lèchent, se sucent, se mangent, se donnent, se prennent, et moi, doublement cocu, horrifié, béat, qui les regarde se combler, et qui trique jusqu'au ciel ! Cochonnes ! Les seins de Lou, comme des melons, sous les dents de Lee ! Mon verger profané ! Mes sentiers débusqués ! Que me restera-t-il si, là aussi, elles se passent de moi ? L'une octroie son cul, l'autre accepte l'offrande, la scrute, la palpe, la noie de salive, la distend, l'enfile et lui arrache des cris de bête. Elles ont jeté leurs gants, ces boxeuses de pacotille, et leurs petits doigts fins frétillent et se faufilent partout ! Quel sabbat dans les coulisses ! Mes deux gousses se trémoussent et s'empoignent, mais il ne s'agit plus d'affrontement, croyez-moi ! Elles se tordent et se déchaînent, ouvertes jusqu'à l'âme, se caressent dans un corps à corps infernal, se frottent, se lovent, s'excitent, jouent de toute leur personne, s'électrisent de chaque contact... Je vois les cheveux de l'une dans la béance de l'autre, qui gueule sous le frôlement soyeux...

Jouissez bien, mes chattes, ronronnez, roucoulez, branlez-vous ! Il est une merveille que vous ne réinventerez pas, que vous ne saurez remplacer, et que je vous garde et vous entretiens d'une main fervente : ma queue, mûrie au soleil de vos exhibitions, gorgée, prête à vous honorer, toutes deux...

Mais soudain mon beau film d'amour et d'aventures vire à l'épouvante : comme je m'apprêtais, tel un Zorro avantageusement armé, à sauter sabre au clair dans l'histoire, la pellicule me montre mes deux créatures dans une posture inattendue. Ce ne sont plus les ébats de deux goudous survoltées, c'est le roman d'une tribade, une de ces femmes-hommes, au clitoris démesuré, qui peut rivaliser d'ardeur et d'efficacité avec n'importe quel Don Juan. Et voilà qu'avec cette satanique excroissance, elle encule sa copine sous mes yeux horrifiés ! Et l'autre qui se creuse, et recule sur la tige fatale, et grince des dents dans le plaisir !

Ah ! les affreuses gorgones, les sorcières ! Ma queue a flétri d'un coup, navrée de son inutilité, humiliée, chagrine... Le cauchemar me laisse moite. Demain, c'est décidé, je les largue, et j'en drague une nouvelle. Une grande sirène blonde. Ni tout à fait la même, ni tout à fait une autre. Et, tiens ! Je la leur présenterai, pour voir !

RETIENS LA NUIT

Je n'aurais pas dû quitter l'aveuglante lumière de cette arène cyclopéenne où vocifère la foule. Dans cette zone obscure, je commence à regretter ma fuite, irréfléchie et tâtonnante. J'ai gagné des périphéries désertes, une vague pelouse derrière un mur, contre lequel, assise dans l'herbe douteuse, je m'adosse. Le béton vibre des clameurs du public. À l'orée de mon regard, sur ma droite, une silhouette noire s'approche, suivie, à trois ou quatre mètres, par deux autres ombres. Mon regret se précise, me monte à la gorge en une boule dure. J'ai bien vu des patrouilles et des sentinelles partout, mais s'il m'arrive quelque chose ici, je pourrais toujours hurler, on ne m'entendra pas. La silhouette avance, j'entrevois d'inquiétants reflets luire au hasard de ses pas : c'est cuir et chaînes partout, signé hooligan ou loubard, je suis cuite ! Derrière l'imposante stature de mon futur violeur, ses complices progressent aussi, prudemment, sans le rattraper, respectueux d'un protocole qui m'échappe. Je suis prête à sauter sur mes pieds, à jeter mes talons aiguilles, à courir aussi vite que ma longue jupe droite me le permettra. Au moment où le voyou lubrique choit à mon côté, j'esquive son abominable attaque par un bond latéral, et c'est lui qui s'exclame :

— Ah ! Que j'ai eu peur !

Cette voix, cette intonation gutturale, douce dans sa raucité... Je connais... Figée dans mon essor, je me retourne, me baisse pour considérer de profil celui qui à son tour maintenant s'appuie au mur, une main sur la poitrine, dans un geste touchant, presque enfantin. Sa crinière argentée, retenue en queue-de-cheval sur la nuque, dégage une arcade bien dessinée, une pommette haute, osseuse, entre le cerne profond de son œil las et le creux désabusé de la joue, la mâchoire est carrée, le menton juste assez agressif. Une belle gueule de Don Quichotte amer, qui m'offre un regard clair et une moue sombre. Son bras droit s'envole, stoppe le double assaut de ses satellites que, toute à ma contemplation, je n'avais pas vus rappliquer.

— Laissez, dit-il. C'est une fille !

Muettement, aussi rapides à se fondre dans la nuit qu'ils l'ont été à en émerger, les deux sbires disparaissent.

— Une femme ! protesté-je, en m'asseyant près de lui.

Il ne bronche pas, les mains à présent nouées autour de ses genoux pliés, la tête basse. Tout, en lui, essaie de m'oublier.

— Pareil ! dit-il à ses rotules. Je te préviens, je n'ai besoin de personne !

— Moi, je fuis quelqu'un.

Il lève la tête, sa prunelle gris-bleu s'intéresse.

— Je devais faire un reportage un peu spécial, et je n'ai pas eu le courage.

— Ah ! fait-il sans enthousiasme. Journaliste ?

— Si l'on veut. Un journalisme particulier. Je suis reporter érotique.

Son silence interrogatif m'honore.

— Je suis payée par des médias pour raconter comment baise Untel ou Untel.

— Non ? Il rit doucement, n'en revient pas. C'est un métier de pute !

— Oui, sauf qu'on ne me demande pas expressément de coucher avec mes sujets. Je ne le fais que par conscience professionnelle. L'écriture est un métier de pute, pas la documentation.

— Incroyable ! murmure-il en secouant la tête. Et aujourd'hui ?

— Aujourd'hui, j'avais une place pour le match dans la tribune à côté de Giscard.

— D'Estaing ?

— Oui. Destin, je crois... Je n'ai pas pu, j'ai filé. Déballonnée complètement.

Et soudain, je vois la méfiance allumer méchamment son œil. Il serre les dents, son condyle roule. Il sait que je l'ai reconnu, flaire un piège.

— C'est une connerie ?

Je proteste, une main sur la manche en cuir de son blouson.

— Pas du tout. Je suis écrivain, et portraitiste. On vient me trouver : « Mettez-moi dans vos livres », on me donne gros pour être dépeint en héros du sexe. De la photo d'art, quoi, flatteuse. À peine arrangée. Faut l'œil pour ça. Je pourrais par exemple écrire un truc sur toi : « Eddy Mitchell comme vous ne l'avez jamais vu ».

Sa gueule de belle brute fatiguée accuse le coup.

— « Eddy Mitchell » ? Il se marre tristement, replonge entre ses genoux. Ouais, dit-il, cette finale, elle porte bien son nom. C'est ma fin à moi. Je le sentais, ça. Ce stade gigantesque où des milliers de fans gueulent sans me regarder ; l'ambiance d'un méga concert dont je ne suis pas la vedette... L'angoisse... Mon psy me l'avait dit : « Mégalo et parano sont les deux mamelles du star-system ». Mais, putain... Eddy Mitchell ! Tu me flingues, là !

Il me fait le coup du chanteur abandonné, rictus aigre, blues de vieux gosse délabré, voix cassée de mélancolie, style *Elle m'oublie...* ou *Quelque chose de Tennessee*.

Un élan me porte vers lui, arrondit mon bras à sa nuque accablée.

— Non, je te taquine ! Tu as été mon idole, comme celle de tous les jeunes de mon époque. *Souvenirs, souvenirs !*, *Le pénitencier...*

— J'ai été, reprend-il. Souvenirs, oui ! Foutu, je te dis. Le pénitencier, c'est maintenant. Le désert. *Gala* reste jusqu'à des trois semaines sans parler de moi, les Guignols me boudent. On a même arrangé un coup, Lætitia m'attend à Copacabana. Si le Brésil gagne, je cours la rejoindre pour me faire surprendre avec elle en pleine samba. De faux paparazzi, tu te rends compte ?

Sa détresse m'émeut. Je me plante à genoux devant lui, l'oblige d'un coup de poing à l'épaule à me regarder.

— Oh ! Johnny ! Rock'n'roll attitude ! Arrête ton délire ! Tu vas pas te laisser ménopauser comme ça ! Je te redonne un coup de neuf, moi, si tu veux ! Demain, t'es à la une de *Voici*, je te le promets.

Il voulait me prendre dans ses bras protecteurs, me la jouer grand blasé-blessé berçant sur son poitrail de cuir une baby-doll Laura, ou jolie Sarah, ou je ne sais encore quel autre petit rat. C'était ça, son idée. Que je le campe fier et tendre, me baisant à la cowboy, en rudesse et douceur, pendant que son blouson crisserait sous mes ongles émerveillés et que je mordrais l'anneau de son oreille. Je lui ai dit :

— Beaucoup trop vu. Et puis, c'est pas ton meilleur profil. J'en ai rien à foutre que mes cheveux s'étalent comme un soleil d'été, d'ailleurs je suis brune et bouclée court. Moi, il y en a une que j'ai toujours enviée, c'est ta guitare. Tu sais ? Celle qui s'enflamme de joie dans *Où vas-tu Johnny ?* Déjà à cette époque, tu la rendais dingue à coup de frôlement de braguette de ton jean blanc moulant. Tu vois ? J'aurais aimé ça passionnément. Que tu me cramponnes les hanches, que tu me bouscules du bassin, que tu me branles à pleins ongles, que tu me fasses vibrer, gueuler, et tout près, tout près de moi et inaccessible, toujours, ta queue... Ah ! Ta queue !

Il tend vers moi un mufle conquis, impatient.

— Quoi, ma queue ? Qu'est-ce qu'elle a ma queue ?

— Des concerts entiers à la regarder gonfler, se frotter au cul de ta guitare, en alternant les tempos, le limage régulier, nègre, lancinant, *Toute la musique que j'aime*, un coup, *elle vient de là*, un coup, *elle vient du blues*, recoup, ou bien le déhanchement frénétique de ton pelvis à ressort : *Et regarde un peu celle qui vient !* Les filles pleuraient, s'arrachaient les cheveux, se trouvaient mal. Elles ne pensaient qu'à ça, mon vieux, à tes tortillements torrides sur la croupe incendiée de ta guitare, à tes doigts dans ses cordes tendues. Toi aussi, crois-moi, t'as fait la pute ! Un peep show de Chippendale hypocrite, même pas déloqué, et d'autant plus bandant...

Son œil stupéfait s'arrondit sur une découverte intense. Je me demande ce que lui ont appris les mominettes avec lesquelles il s'affiche dans *Paris-Match...*

— Tiens ! Fais-moi le coup de la guitare !

Tout à trac, je laisse tomber ma jupe, jette ma veste. Rien là-dessous qu'une guêpière noire qui souligne ma taille et épanouit mes flancs. Je m'étais engiscardée, tant pis, il faudra que le cuir du mauvais garçon se frotte à mes dentelles de cocotte.

— Lève-toi !

Je l'ai alpagué, disposé. De dos, je me colle contre lui, cherchant des fesses le repère convoité, la braguette prometteuse de son pantalon de motard. Je prends ses mains qui se laissent emmener.

— Là, les touches, dis-je en posant la gauche sur mon sein dénudé, là, la rosace.

J'ai placé sa dextre entre mes cuisses, amenant ses doigts sous mon slip plus que permissif. Contre moi, il piaffe, souffle à mon oreille :

— Ouaouh ! C'est pas de la guitare sèche !

Cambrant les reins je le supplie :

— Joue-moi *Aimer vivre*. J'adore cette chanson. Ça commence langoureusement, *c'est écrit dans tes yeux... eux... eux* et ça se déchaîne à la fin, *je veux te voir vivre, vivre, vivre !*

Le guitariste a compris, ses phalanges musiciennes trouvent tout de suite mon diapason, en jouent d'abord vibrato puis allegro, vont jusqu'au furioso, exaltées par leur pouvoir à m'arracher une symphonie enrouée. Sous mes fesses, l'émouvant miracle a lieu : mon instrument vient de trouver son manche, qui cherche avec une douce violence ma vallée de l'Oklahoma...

— Attends !

À mon tour de jouer du bassin ! Une ruade pour l'écarter, volte-face, de deux paumes autoritaires je l'oblige à se coucher.

— Hendrix, tu te rappelles ? Vautré sur la scène avec la guitare sur lui !

Consentant, hagard, débraillé, le voilà sur le dos, braguette ouverte sur mon rêve : sa bite de troubadour forcené, ivre de rythme et de gloire, survolté, qui danse toute seule, et me salue spasmodiquement. J'envoie une main derrière sa tête, trouve l'élastique qui retient ses cheveux.

Il renverse un visage extasié dans sa crinière étale. Il est beau comme un dieu déchu, un archange tombé. *Gabriel !* Tout de suite, je l'enjambe, l'enfile, le chevauche, lui saisis les poignets. Et c'est moi qui dis oui, et c'est lui qui dit non.

— Comment ça, non ? Moi, j'ai un avantage sur ta guitare, j'ai deux trous !

Ses mains vite domptées se sont rejointes entre mes fesses et travaillent, explorant la gamme du raie mineure jusqu'au là, majeur ! Galvanisée, je cavale à la poursuite du bonheur, du sien surtout, je veux l'envoyer en l'air, à toucher les monts près du ciel, lui offrir le Noël interdit aux gosses de sa génération perdue. Sur son magnifique barreau brandi en moi tel un poing de rocker, c'est tous les fulminants que je baise, les rugissants, les violents admirables, les nés dans la rue, nourris de musique, brûlés aux projecteurs, briseurs de guitare, proclameurs passionnés, chantres d'apocalypse...

Embarqué dans ma folie, il monte soudain à ma rencontre. Je vois ses yeux fiévreux élargis, piégés par le spectacle hard-rock de nos noces : dans le triple noir de la nuit, de mes dentelles et de mon crin, la bouche rose de ma chatte acharnée à le sucer plus passionnément que ne le fut jamais le micro de Tina... C'est la fin du voyage : je le sens jeter ses trésors au brasier dans une longue plainte de bluesman, les mains serrées sur ma chair et tout son beau visage abrupt transfiguré par la joie.

Une clameur géante répond à son cri, nous enveloppe, nous fait trembler. France ou Brésil ? Johnny me plante au fond des yeux une prunelle fervente :

— J'irai pas à Copacabana.

Sauvetage

Véra corrige des copies au bord de sa piscine. Encore deux devoirs et elle aura fini son paquet. Elle s'autorisera alors à se baigner. Elle a du mal aujourd'hui, pour la concentration. Il faut dire qu'elle s'oblige à rester au soleil, pour faire disparaître sur ses épaules brunes les traces plus claires des bretelles de son maillot. Dimanche, elle voudrait mettre sa robe-bustier, mais avec ces deux marques blanches, pas la peine d'y penser. Alors elle a roulé son une pièce jusqu'aux hanches. La chaleur fait couler une goutte, régulièrement, sous son sein droit, jusqu'à son estomac, ça chatouille désagréablement. Bientôt, dans le pli de sa taille, un petit ruisseau tiède s'est accumulé, qui déborde à son tour, glisse vers sa hanche. Plus qu'une copie, et elle plonge dans l'eau fraîche. Elle soupire, ses seins tremblent.

Merde ! Une voiture sur le chemin ! Véra s'empresse de dérouler son maillot, cache sa poitrine hâtivement. L'appréhension lui fronce les sourcils. Elle redoute une visite inopportune, n'a pas envie qu'on trouble sa solitude, ni qu'on la voie comme ça, à moitié nue, avec ses deux kilos de trop qui lui défigurent les cuisses. Elle guette entre les arbres l'arrivée du véhicule. Trois heures ! Qui ça peut être ? Depuis qu'on a installé le panneau « voie sans issue » à l'entrée de la petite route, plus personne ne vient s'y perdre, sinon volontairement, le facteur passe le matin, Jean ne doit rentrer que tard ce soir... Ah ! Ce n'est que la vieille 104 blanche du voisin ! C'est bien tôt, pourtant !

D'habitude, elle ne le voit apparaître dans son tacot que vers dix-neuf heures, hirsute, la mine renfrognée, il passe vite, dans un relent de gas-oil, en soulevant un nuage de poussière entre la terrasse et les bâtiments... Il occupe la deuxième et dernière maison du chemin, après celle de Véra... Au début, quand Véra et Jean ont acheté la propriété, ici, c'était le paradis, on se serait cru au bout du monde. La demeure mitoyenne à la leur n'était qu'une résidence secondaire, rarement occupée. Un jeune couple y venait parfois, à la belle saison. On les connaissait peu. Bonjour, bonsoir. On savait qu'ils habitaient une petite ville proche. La vieille masure sans confort, un héritage sans doute, ils ne l'entretenaient pas, faute de moyens. Ils étaient discrets, sauvages même. Une fois, on avait bu l'apéritif ensemble. Depuis ce jour, Véra savait qu'ils s'appelaient Étienne et Sophie. Rien d'autre. Elle n'était jamais entrée chez eux. Ils n'avaient pas rendu l'invitation. C'était très bien comme ça.

Et puis, lors d'un de leurs week-ends, Véra avait remarqué le ventre de Sophie, bombé et promené avec précaution. Le printemps suivant, ils arrivaient avec un couffin, garni d'un petit Guillaume. Le bébé pleurait un peu, parfois. De visite en visite, Véra l'a vu grandir, par bonds. Un samedi, elle a constaté qu'il grimpait seul les marches de pierre de leur escalier. Plusieurs mois après, elle l'a entendu chantonner. Il l'attendrissait, avec sa drôle de frimousse, ses lunettes, son air sérieux et attentif. Quelquefois, elle l'a invité à venir se baigner dans la piscine. Il s'est fait d'abord prier, puis on a eu du mal à le sortir de l'eau. Son père est intervenu à sa façon, timide, un peu bourru... A passé quelque temps encore, peut-être un an, pendant lequel la vieille bâtisse est restée fermée. Puis Étienne est réapparu, seul. Deux ou trois voyages de son vieux clou surchargé ont pris des allures de déménagement, et Véra a conclu à la séparation, au divorce peut-être. Étienne allait désormais habiter là tous les jours. Il le lui a dit d'ailleurs, un dimanche où il gardait Guillaume. Véra a réussi un sourire à peu près sincère, a déclaré :

— Tant mieux ! Nous ne serons plus seuls dans le hameau.

Mais dans le fond, les allées et venues au bas mot quadri-quotidiennes du voisin lui ont pesé assez vite. Il faut dire que le chemin communal qu'il est obligé d'emprunter pour rentrer chez lui, passe entre la maison de Véra et sa terrasse, et que de ce chemin, il a une vue plongeante sur la piscine.

C'est depuis cette époque que Véra a renoncé à bronzer nue, ou bien à écouter de la musique trop fort... Étienne semble triste et hargneux. Elle respecte son espèce de deuil, tout en s'agaçant, intérieurement, de ne plus être aussi libre.

Aujourd'hui, il a quatre heures d'avance sur son horaire ordinaire. Si ça se trouve, il va ressortir... Véra n'ose plus dénuder ses épaules, ses seins. Elle se laisse tomber dans l'eau froide avec une béatitude mêlée d'effroi. Là-haut, chez Étienne, la porte vient de claquer. Du bassin, elle l'a aperçu qui grimpait quatre à quatre ses escaliers, en bleu de travail. Très sombre, la mâchoire mauvaise. Une algarade avec son chef, peut-être. Un ras-le-bol, une crise de rage. Ça ne l'étonnerait pas, il devient de plus en plus lugubre, ces temps-ci. À peine poli. Brutal dans tous ses gestes. Négligé, barbu, effrayant à force de mutisme. Les traits durs et le regard absent. Véra évite de s'ébattre dans l'eau, elle a peur de faire des bruits trop joyeux ; ça en devient bête... Elle nage doucement, puis, au bout d'un moment, rafraîchie, elle se hisse à l'échelle. Soudain, un miaulement éploré lui fait lever la tête. Oh ! non ! Cette conne de chatte s'est encore laissé enfermer dans la grange du voisin ! Et la voilà, pour la xième fois, qui appelle au secours par le fenetron, la tête et le cou dardés hors de la lucarne. Inutile de penser l'encourager à sauter, cette andouille a la frousse. Elle va appeler là jusqu'à ce qu'une bonne âme lui ouvre la porte. Quelle buse ! Véra se rue dans la cabane du jardin qui lui sert de cabine de plage, jette son maillot mouillé, passe en vitesse sa petite robe bain de soleil, sous laquelle elle ruisselle encore et qui lui colle au ventre.

Sous le perron d'Étienne, elle appelle à mi-voix, avec des accents retenus, comme si elle craignait de réveiller quelqu'un qui dort. La bestiole qui l'a entendue roucoule des plaintes de plus en plus impérieuses. Le voisin doit être au fond de la maison, rien ne bouge. Véra s'arme de courage, gravit les marches, parvient à la porte vitrée où elle frappe. Toujours rien ; il faut tourner la poignée, passer une mine penaude dans l'entrebâillement de la porte, s'excuser, héler le vide :

— Il y a quelqu'un ?

Formule imbécile s'il en est. Surtout qu'il y a quelqu'un. Il y a Étienne. Terrible, tout droit dans son bleu, il vient de se retourner d'un coup. Et il la regarde avec des yeux déments. Il a un pistolet dans la bouche et sa main tressaute comme s'il prenait le courant...

Les secondes passent, interminables. Véra, mal séchée, sent sur ses bras nus la fraîcheur de la maison qui la gèle et la brûle. Un instant, elle a l'impression qu'elle va se trouver mal. En face d'elle, c'est un fou furieux qui la toise, il a sorti l'arme de sa gorge, l'a braquée sur elle, si méchamment qu'elle hésite à le reconnaître ; ses yeux malades, sa bouche crispée, sa pomme d'Adam à ressort, la paralysent d'horreur plus encore que le canon noir du truc qu'il tient d'une main convulsive. Un frisson la pourfend, ouvre en elle un gouffre de terreur, sa vessie se met à bouillir, son ventre s'ouvre, elle sent sourdre une source chaude entre ses cuisses glacées, elle remonte les épaules, instinctivement parce que c'est sûr, il va tirer, ou bien lui sauter dessus, la rouer de coups, la matraquer, la démolir... Dans le silence tragique, Véra entend, comme si elle était sourde, les coups de son cœur qui résonnent depuis sa poitrine et envahissent sa tête, son corps tout entier. Et puis le monstre montre les dents, il aboie, des postillons jaillissent de sa bouche haineuse, Véra en reçoit un sur la lèvre, un autre sur la joue, il hurle :

— Ta gueule ! Ta gueule ! Tu me parles pas du gosse, tu me parles de rien, tu dis rien, ou je te bute avec moi !

Véra n'essuie pas sa joue, ni sa lèvre, qui frémissent sous la salive du forcené comme sous un venin mortel. Elle fait non, pitoyablement, de la tête, non, non, elle ne dira rien, elle va s'en aller d'ailleurs, elle recule vers la porte, en trébuchant, elle chancelle, elle ne sait plus marcher, plus tenir debout, et le fou, en face d'elle, qui avance encore avec son truc noir tendu, et qui glapit encore :

— Pourquoi t'es venue ? Pourquoi t'es venue ?

Elle respire fort :

— C'est, bredouille-t-elle, c'est... pour ma chatte. Il roule des prunelles hallucinées et incrédules.

— Quoi ?

Véra a vu son bras faiblir. Imperceptiblement, elle a vu l'arme plonger. À peine quelques millimètres, peut-être. Un rien, une faille minuscule par où se faufilent l'espoir et la lueur d'une ruse salutaire.

— Regarde ! parvient-elle à articuler. Regarde !

Et elle lève sa robe sur ses cuisses, sur son ventre. Elle n'a pas de culotte, ses poils luisent encore de l'humidité du bain.

— Je t'ai vu rentrer, j'étais seule... Regarde !

Il a baissé les yeux sur le spectacle qu'elle lui offre, les ramène très vite à son visage, avec un rictus perplexe, une sorte de grimace animale, très agressive. Et pourtant Véra le sent ébranlé. Il accomplit un effort manifeste pour maintenir l'arme bien droit sur elle. Ses maxillaires bougent, leur articulation roule sous l'oreille, il avale l'air péniblement.

— Je vais pas te parler du gosse, souffle Véra, très vite. Je m'en fous du gosse. Je venais juste pour toi... Tu vois, je n'ai rien mis, regarde...

Il la regarde se dégrafer, muet. Dans ses prunelles sombres passent des éclairs... Elle a déjà ouvert deux boutons de sa robe. Une bretelle tombe, son sein gauche apparaît, hérissé d'un frisson équivoque, mamelons érigés. Dans le silence revenu, il a un éclat de rire bref, qui la fait sursauter, une sorte de hululement douloureux et indigné.

— Conasse ! lance-t-il. Tu crois. Tu crois que je vais te baiser ? Tu crois que j'y pense, que j'ai envie ? Salope ! Salope ! Tu crois que je t'ai seulement regardée une fois, quand tu fais la pétasse, au bord de ta piscine ?

Véra a les doigts sur ses boutons. Elle vient d'en libérer un de plus. Ses yeux ne quittent pas les yeux du dingue ; une force inconnue lui garde les paupières fermes, les prunelles fixes. Sa deuxième bretelle vient d'abdiquer. Lentement, elle laisse descendre la robe sur ses bras, ses hanches, sans à-coup, en le scrutant toujours comme si leur vie à tous les deux ne tenait qu'au fil de ce regard terrible qu'ils échangent, et dont ils s'affrontent. « Gagner du temps, pense-t-elle, tenir le plus longtemps possible ». Elle ouvre la bouche :

— Je sais que tu ne m'as jamais regardée, je le sais, j'en crève...

La voilà nue, sa robe en chiffon autour de ses pieds. Elle a écarté des mains d'esclave, soumises, offertes, la paume vers le ciel, elle lutte pour respirer normalement, pour ne pas frémir, pour parler avec sa voix de tous les jours.

— Si tu veux, articule-t-elle.

Il serre les dents, sa mâchoire proéminente le déguise en cromagnon. Elle répète :

— Si tu veux, en avançant doucement, très doucement sa main droite vers l'arme qui arrondit à quelques centimètres sa gueule noire. Quelques centimètres. Que c'est long ! La main de Véra voyage insensiblement, comme dans une eau épaisse, sans déplacer d'air. Enfin, elle parvient à son but, referme des doigts héroïques sur le canon froid, tandis que son ventre se contracte d'épouvante secrète. Lui, ahuri de colère, contemple cette chose inouïe, cette main de femme qui s'agrippe à son pistolet et le tire à elle, avec une lenteur hypnotique.

— Là ! murmure Véra, là !...

Elle ne l'a pas lâché des yeux, ses lèvres se sont entrouvertes sur cette syllabe apaisante de dompteur, maintenant maître de la situation.

— Là !

Elle pose le bout de l'arme entre ses seins, en trace,

jusqu'à son ventre, un chemin troublant, descend encore vers le buisson de ses poils noirs. Lui se laisse emmener, sans mollesse cependant, avec une méfiance qui alourdit son bras, et le retient. Et quand enfin il voit l'extrémité de l'arme enfouie dans la toison de la femme, il a un cri navré, un cri de souffrance rauque, tout proche du sanglot.

— Salope ! Vous êtes des salopes !

— Oui, dit Véra, avec une ferveur dénuée de forfanterie. Oui, je suis une salope. Laisse-toi faire !

Dans le regard moins aigu d'Étienne, elle a vu pâlir la rancune, les prunelles noires, à présent noyées de désespérance, vacillent. Véra tient toujours l'arme contre elle, au plus intime de son être. De sa main libre, elle touche le col d'Étienne, s'accroche à sa nuque, et puis elle l'entraîne dans une danse lente à laquelle il ne résiste plus, elle recule vers la table qu'elle sait là derrière elle, un pas, deux pas, trois pas, elle y est, en cherche l'appui de reins approximatifs, s'y cale, s'y assied, écarte les genoux.

— Regarde, Étienne !

Encore que précautionneux, ses gestes atteignent une précision fascinante. Avec l'extrémité de l'arme qu'il tient toujours par la crosse, elle s'écarte et se montre, profonde, mouillée, nacrée, indécente, le canon qu'elle manipule consciencieusement la fouille et la révèle, et le regard de l'homme, alarmé, se trouble davantage. Elle le sent rétif encore, mais désormais sans force, et résigné au désespoir morne de qui a perdu la fureur.

— Attention, dit-il enfin, il est chargé !

Véra n'a aucune difficulté à lui faire lâcher le revolver. Elle le pose à l'aveuglette, derrière elle, sur la table.

— Toi, chuchote-t-elle dans son cou.

Il sent le garage, le cambouis, l'essence. Son bleu est sale, elle y frotte sa joue :

— Six mois que je ne bande plus, murmure-t-il, et il se met à pleurer, doucement d'abord, avec des larmes lourdes, qui roulent en silence sur son menton barbouillé, tombent en pluie serrée sur le visage de Véra. Avec tendresse, elle lui caresse le dos, à travers la toile rude et crasseuse de son vêtement, tâche d'endormir la grosse douleur qui gronde en lui, qui le secoue, le malmène et finit par crever en pleurs frénétiques, en jappements désespérés et saccadés. Pitoyable, il tressaute contre elle, la trempe sous l'orage tiède de sa peine, renifle, hoquette, cherche de ses doigts tremblants, de ses mains impuissantes, l'appui d'une chair compatissante et douce, et accepte enfin, terrassé de tristesse, l'asile qu'elle lui offre, contre son corps nu, entre ses bras maternels, ses jambes hospitalières...

Avec ses seins, avec son ventre, avec l'intérieur de ses cuisses, Véra éprouve la forme de ce corps d'homme, dur et fragile, inaccessible sous l'étoffe presque froide de son bleu. Le chemin métallique de sa fermeture Éclair la glace et l'égratigne. Alors entre deux doigts, elle saisit la languette qui claquemure Étienne jusqu'au cou et tranquillement, la manœuvre. Le bruit est familier, rassurant, Étienne se laisse déshabiller comme un gosse, ses épaules apparaissent, il aide, d'un mouvement enfantin, sa compagne à faire glisser le tissu le long de ses bras, de son torse, de ses fesses, le bleu tombe enfin en tas froissé à ses chevilles, sans qu'il songe en s'en défaire ; il reste là, docile, passif, apparemment vide de désir et de curiosité. Véra a des gestes tendres et doux pour caresser ses omoplates, dénudées par un débardeur rouge qui l'illumine en exaltant ses noirceurs. Son slip aussi est rouge. Véra s'y promène du dos de la main, en reconnaît le relief avec une émotion qui ne doit plus rien à la frousse, ni la pitié.

— Laisse, murmure-t-il, laisse, tu vois bien que je ne bande pas...

— Non, dit Véra, tu ne bandes pas, pas le moins du monde, et elle continue sa flânerie sur le coton bombé, gentiment, innocemment... Sous sa main, quelque chose bouge, se déploie et vibre d'un élan irréfutable. Étienne a posé des paumes chastes sur ses épaules, a respiré profond comme pour une grande décision, a encore dit :

— Je ne banderai pas. Plus jamais, sans paraître s'apercevoir que l'obstinée, tout contre lui, a entrepris de rouler son slip, et d'en faire surgir ce qu'il ne veut pas lui donner... La main de Véra se referme sur une ramure douce, ferme, horizontale.

— Et ça ? demande-t-elle.

Le regard d'Étienne plonge vers l'objet dont elle s'est emparée. Il a un soupir de mépris.

— Ça, c'est rien !...

— Ça me suffit ! a déclaré Véra, dans une espèce de cri. Et elle s'est planté la queue d'Étienne en plein ventre, en écartant bien les genoux, en l'attirant à elle de deux pieds noués derrière ses fesses, et d'une main accrochée à sa nuque. Avec son autre main, elle a guidé la manœuvre, et veillé à ce que l'arrimage tienne bon.

— Lâche-moi, a protesté Étienne, sans reculer.

— Non, tu es bon ! Je ne te lâche pas.

— Alors, c'est vrai ? C'est ça que tu venais chercher ? a-t-il demandé, résolument inerte et dédaigneux des coups de reins dont elle assure sa prise.

Véra ferme les yeux.

— C'est ça !

— Mais tu sais... tu sais que j'aime mon gosse ?

interroge Étienne. Sa voix tremble. Il va peut-être encore pleurer.

— Et alors ? souffle Véra. On a dit qu'on n'en parlait pas !

— Si, dit-il, on en parle.

— Baise-moi, Étienne... Baise-moi. Tu n'as presque rien à faire, juste à y croire un peu, à bouger un peu, à reculer à peine, à avancer vers moi, bouge, bouge un peu, juste deux ou trois petits coups de lime.

— Ça sert à rien, tu sens bien que je suis mou. Mou et triste. J'aime trop ce gosse. J'aime sa mère. Je l'aimais...

— Bouge encore, Étienne. Encore un peu. Coulisse. Je te sens grossir, tu grossis. Tu me remplis. Bouge, Étienne. Tes couilles sont chaudes dans ma main, pleines. Tu vas jouir fort...

— Je jouirai pas, j'aimais sa mère, cette salope, j'aimerai plus personne, plus de femme, je baiserai plus jamais de femme, je me branle même plus, j'essaie des fois, j'y arrive plus.

— Branle-toi dans moi, Étienne, tu sens ma chatte autour de ta bite comme une main douce et mouillée, branle-toi dans mon ventre !

— Et cette pute va partir, de l'autre côté de la France, elle va l'emmener, je le verrai plus, je vais en crever !

— Oui, Étienne, comme ça, plus long encore, plus fort, tu as une trique énorme, là, tu ne sens pas ?

— Rien du tout, je sens que je vais crever, oui, crever, sans mon gosse...

— Encore, Étienne, bourre-moi encore, encore plus loin, voyage, voyage ! Embarque-moi, ouvre bien tout, envahis tout, va tout au fond, tout au fond !

— Elle m'a flingué, la pute, elle m'a coupé les bras, les jambes, la queue, elle m'a tout pris, elle m'a pris l'envie de vivre, de baiser, je vais la tuer ! La tuer ! La tuer !

À chaque exclamation, Étienne se cabre à présent et saccage Véra d'un bélier enfin furieux, qu'elle accueille en gémissant.

— Je vais la défoncer !

Véra, tétanisée, tout entière agrippée à lui, hurle dans ses oreilles.

— Oui, défonce-la ! Ouvre-lui le ventre ! Oui ! C'est une salope ! Défonce-la !

Son cri a fini dans un sanglot. Et puis le silence est revenu, le calme. Tout s'est arrêté. Étienne a eu un geste du coude pour essuyer sur sa joue une larme lente qui n'en finit pas de couler. Il a regardé Véra, avec son air triste.

— C'est fou, a-t-il dit, je crois que j'ai joui...

— Moi aussi, a dit Véra.

Ils se sont rhabillés vite, en se tournant le dos. Véra s'est dirigée vers la porte. Il était derrière elle. Il a dit :

— Attends !

Quand elle s'est retournée, il avait le pistolet à la main, tendu vers elle.

— Prends-le, va ! Ça vaut mieux !

Elle est partie avec l'engin. Cette conne de chatte miaulait toujours dans la lucarne...

Un zéro absolu

Au téléphone.

— Allô ? Papeterie *Filigranes* Articles de bureau ? Je voudrais savoir si vous avez toujours un article... Enfin, si vous en assurez le service après vente... Un calendrier ! Un calendrier perpétuel qu'on m'a offert en 1970, quand j'ai commencé à enseigner... Oui, c'est vieux, je sais. Mais le calendrier n'a pas vieilli, lui. Intact, miraculeusement. Et toujours pimpant, sur le mur de la classe. Le matin, les gosses inscrivent la date, chacun leur tour. Ils adorent ça. Il y a deux cylindres à tourner, pour les jours et les mois. Et puis des chiffres à accrocher, pour le nombre et l'année... Avec leurs petites mains, ils fouillent dans la grosse boîte à chiffres... Depuis bientôt trente ans, pas un ne s'est perdu ! On a 5 un, 4 deux, 3 neuf, 2 trois, 2 quatre, 2 cinq, 2 six, 2 sept, 2 huit... et 3 zéros ! Avec ça, on peut écrire n'importe quelle date. Enfin, on pouvait, jusqu'à présent. Mais j'ai réalisé que bientôt ce serait le 1er janvier de l'an 2000 ! L'an 2000, Monsieur !

« Vous comprenez ?... Non ? Vous ne comprenez pas ? On n'a que trois zéros dans la grosse boîte ! Il nous en manquera un !... Non, on ne pourra pas toujours s'arranger ! Comment écrirons-nous la date du 10, du 20, ou 30 janvier 2000, avec seulement trois zéros ?... Mais, c'est pour ça que je vous appelle ! Il me faut un zéro de plus, un beau zéro noir sur fond blanc, pour célébrer le nouveau millénaire !... Je pensais que peut-être, dans vos stocks... Oui, bien sûr, depuis 1970. Seulement, ça s'appelait "calendrier perpétuel". "Perpétuel". Monsieur, vous voyez ? Le fabricant se faisait une drôle d'idée de la perpétuité, s'il n'envisageait pas au-delà de 1999... Comment, renoncer à écrire l'année ! Vous n'y pensez pas ! Le jour de la rentrée des vacances de Noël, vous m'imaginez dire à mes petits : "On n'écrit plus l'année, depuis qu'on est en l'an 2000, on n'a plus assez de chiffres !" 2000 ! Un si beau nombre, si rond, si attendu, si riche de promesses ! Une année mythique, l'an 2000 ! Tellement mythique qu'elle ne figurera pas au mur de mon école ! Monsieur, j'y vois un symbole navrant, celui de l'incapacité... Non, pas la vôtre, non, bien sûr, ce n'est pas de votre faute. Je n'ai pas dit cela ! Mais l'incapacité collective à tenir un engagement... Comment, en l'an 2000, un calendrier perpétuel, encore tout neuf, se trouve destitué, déshonoré, acculé à un semi-emploi, un temps partiel, une préretraite, puisqu'il ne donnera plus l'année... Et s'il en mourait, Monsieur ? S'il préférait la poubelle et l'oubli plutôt que cet humiliant demi-service, cette fonction amputé de sa part la plus noble, la plus glorieuse ?... Adieu, vieux siècle, illusions, flamboyant bonheur du devoir dignement accompli ! An 2000, te voilà avec ton cortège flapi, tristesses, regrets, demi-mesures, demi-usures, c'est ça que vous voulez voir inculquer dans les écoles primaires, Monsieur. ? C'est ainsi que vous voulez accueillir... Pardon ? Oui, juste un zéro ! Un courrier ? Pour le zéro ?... Avec les références de l'article ? Mais les références, je ne sais pas, je ne crois pas... Allô ! Allô ! Il a raccroché !...

À son bureau.

Elle dispose le papier à lettres, choisit un stylo. Elle écrit en prenant son temps, et lit à haute voix en même temps.

Le 15 novembre 1999
Monsieur,

Comme je vous le disais tout à l'heure au téléphone, j'ai vraiment besoin d'un zéro, dans les plus brefs délais. Je suis, il faut m'excuser, une institutrice fervente, peut-être même m'avez-vous jugée maniaque et un tantinet ridicule dans ma façon de m'enflammer pour ce zéro et tout ce qu'il représente à mes yeux.

Les références que vous me demandez sont introuvables : j'ai jeté l'emballage de la chose depuis longtemps. Sachez que le zéro convoité est noir sur fond blanc et qu'il mesure cinq centimètres et demi.

Je vous serais infiniment reconnaissante si vous pouviez me l'envoyer à l'adresse ci-dessous, contre remboursement évidemment.

Dans l'attente impatiente de votre colis, je vous prie d'agréer, Monsieur, mes salutations.
Mademoiselle Élisabeth Fontaine
(Institutrice)
15, rue Jacques Chirac
Grenoble

Elle glisse la lettre dans une enveloppe. Sort.
Elle ouvre une enveloppe, en extrait une lettre qu'elle déchiffre à voix haute.

Filigranes, *Papeterie, Articles de bureau* (Ah !)

Le 17 novembre 1999
Mademoiselle,

Ce n'est pas moi que vous avez eu au téléphone avant-hier et j'ignore de quelle chose vous avez jeté l'emballage (elle lève les yeux au ciel). Ça commence bien !) *J'ignore aussi qui vous êtes, hormis une demoiselle, une institutrice, écrivez-vous. Mais je vous imagine bien charmante et vous sais une très vive gratitude pour m'avoir appris, dans votre délicieux courrier, qu'il est des zéros convoités ! Car je suis, Mademoiselle, ce que l'on appelle un zéro absolu, un rien, un vide, un néant, un échec total, et n'ai cependant jamais eu l'impression que quiconque pût un jour me convoiter. Malheureusement, je ne suis pas un beau zéro noir sur fond blanc, comme l'enviable Michael Jordan lorsqu'il se glisse entre ses draps, avec la sensation d'avoir été nul pendant un match. J'incarnerais plutôt le négatif du cliché, blanc, très blanc, presque blême, sur le fond noir de mon désespoir, avec au cœur la vraie pesante certitude du ratage de mon existence... Un seul détail peut-être m'apparente au zéro rêvé de votre missive : les cinq centimètres et demi évoqués. Bien que ma mère m'ait toujours trouvé trop petit, je ne vous dirai pas que c'est ma hauteur, mais cette mensuration précise me va pourtant à la perfection, dans une partie de moi-même que vous devinez. Là, vraiment, je suis petit, tout petit, minuscule, et ce...* (elle hésite) *chibre (?) riquiqui dont la nature m'a si peu avantagé, n'est pas fait pour consoler l'erreur vivante que je représente.*

Je ne vous ferai pas l'affront de déposer à vos pieds le très modeste et très insignifiant hommage de ma petitesse.

Je signe seulement d'un Z qui veut dire zéro.

Elle reste un instant très perplexe, les yeux et la bouche arrondis, puis finit par s'exclamer, dépitée, intriguée : « chibre » ?

Un dictionnaire à côté d'elle.

Le 18 novembre 1999
À Monsieur le Directeur de Filigranes...

Monsieur,

J'ai eu au téléphone l'autre jour, le 15 de ce mois exactement, un monsieur un peu pressé, mais correct. Je cherchais à me faire envoyer un zéro pour mon calendrier perpétuel. Sur ses conseils, j'ai réitéré ma demande par courrier. Or la réponse que je reçois aujourd'hui m'étonne profondément. Il y est question de « chibre ». Et bien que ce mot ne figure pas dans le dictionnaire, son sens me paraît clair. Sachez donc, Monsieur, que vous soyez ou non le propriétaire de ce chibre riquiqui de cinq centimètres et demi dont il est question, que les mensurations masculines ne m'intéressent guère, pour ne pas dire aucunement, et que je m'afflige du manque de sérieux de votre établissement.

Faute d'une lettre explicative et contrite de votre part par retour, j'avertis un organisme de consommateurs auquel je communiquerai la copie de votre hurluberlu et insolent courrier.

Vous comprenez que, cette fois, je ne vous salue pas !
Élisabeth Fontaine.

Elle ouvre une lettre.

Filigranes, *Papeterie, Articles de Bureau*

Le 19/11

Mademoiselle,

Surtout n'en faites rien ! N'avertissez personne ! Que tout cela reste absolument entre nous, mon patron n'est nullement au courant de ma réponse un peu désinvolte du 17, que je vous prie très humblement de me pardonner. Je ne voulais aucunement vous froisser par l'emploi de ce mot « chibre ». J'aurais pu écrire tout aussi bien (lecture de plus en plus effarée) *« sarce », « zob », « bite », « poireau », « ziffolo », « rossignol », « zizi », « épinette ». J'ignore encore pourquoi j'ai choisi ce terme-là, qui vous a offensé.*

Douce, charmante, adorable Élisabeth, convoiteuse de zéro, accordez par pitié votre grâce à un tragique imbécile qui se jette à vos genoux, et pleure sur vos pieds les larmes d'un repentir sincère. Et permettez-moi une double question : pourquoi, comment, ne faire aucun cas des mensurations masculines ? Êtes-vous une petite fille sentimentale et naïve comme il n'y en a plus ? Êtes-vous une religieuse ? Une vestale vouée au célibat ? Êtes-vous frigide ? Êtes-vous irrémédiablement solitaire, ou bien simplement goudou ?

Répondez à un pauvre hère en mal de simple communication, trop persuadé de sa nullité pour oser jamais espérer qu'un regard de femme pût se poser sur lui. Seule votre quête fiévreuse du zéro m'a encouragé, croyez-le. Vous êtes la première exception, sans doute resterez-vous l'unique, à mon long et douloureux ratatinement.

Z.

(Elle a l'air furieux)

Il se fout de moi !

Elle se rue sur son papier à lettres.

Le 20/11

Monsieur,

C'en est trop, vous avez dépassé la mesure.

Votre seconde lettre (elle hésite), *ou plutôt celle de votre employé...*

(Elle se reprend, s'arrête)

Non c'est idiot...

(Elle déchire la lettre, réfléchit un instant, amorce un geste vers le téléphone, se ressaisit encore. Et soudain, avec une inspiration profonde, et l'air très résolu, elle reprend une feuille).

Le 20/11

Petit con,

Je ne suis ni une pucelle effarée, ni une bonne sœur, ni ce que vous appelez une goudou (je suppose que vous entendez par là que mes goûts me porteraient plutôt vers les femmes). J'ai cinquante-trois ans. N'imaginez pas non plus la vieille fille endurcie, ratatinée, pour reprendre approximativement une de vos expressions. Célibataire, certes, et sans souffrir le moins du monde. Je garde seulement au fond de moi le souvenir d'un jeune et beau soldat, mort en Algérie quelques semaines avant de m'épouser. Depuis, aucun homme, jamais, ne m'a inspiré le désir, ni même la curiosité, d'une relation amoureuse.

Ma mémoire me tient compagnie, et elle est encore assez fraîche pour me permettre de vous déclarer ceci :

(Elle écarte le pouce et l'index de sa main gauche de quelques centimètres, cligne de l'œil, vérifie la mesure avec un double décimètre posé sur son bureau). *Les cinq centimètres et demi de votre...* (elle hésite, relit la lettre à côté d'elle, sarce ?... zob ?... bite ?... hésite encore, cherche des yeux un dictionnaire de synonymes, s'y plonge, parcourt une page entière du regard avec des mimiques mi-indignées, mi-amusées, prononce parfois, en riant à demi, un mot drôle... hum... agace-cul... Non !... Braquemart ? Non !... Chibre (tiens !)... Chinois, chipolata, hi hi ! ! !... Goujon... Lézard... Marsouin, moineau, Mont chauve. Non, non ! Petit jésus. Oh !... Pine ? hum ! Tête chercheuse. (Hi hi)... Zibar... Zigomar... (grimace). Un peu vieux jeu !... Zobi... Non ! Elle reprend la lecture en haut de la page... Bigoudi peut-être ? Oui, pas mal, bigoudi !

Donc... *Les cinq centimètres et demi de votre bigoudi ne me semblent pas devoir vous autoriser au désespoir, ni vous encourager à vous complaire dans l'isolement que vous déplorez. Autant qu'il m'en souvienne, cinq centimètres et demi, c'est largement suffisant au bonheur...*

Ne m'envoyez donc plus, je vous en prie, de courrier signé de ce Z dont vous affectez de vous humilier, et surtout dites-vous bien que la majorité des femmes se moquent (elle raye) *se fichent* (elle raye encore, réfléchit, se lance avec audace) *se tapent totalement des dimensions de vos sacrés trucs. Seuls comptent, jeune farceur, vous devez le savoir, l'amour, la tendresse, et, vous n'en manquez pas, le sens de l'humour...*

Enfin, glorifiez-vous de l'indulgence d'une quinquagénaire digne mais point trop prude, que vous eussiez agacée, n'y eût-il eu, au hasard de votre facétieuse prose, d'irréprochables imparfaits du subjonctif.

Élisabeth Fontaine.

(Elle ouvre une nouvelle lettre).

Le 22/11

Merveilleuse Élisabeth,

(elle lève les épaules, conquise malgré elle).

Vous m'avez appelé « petit con » ! Je veux voir dans cette entête, non pas une allusion à mes dimensions étriquées, car là-dessus vous fûtes (et comme je vous ai aimée aussi pour cela !), d'une grande et noble prudence, mais un affectueux mépris pour le jeune farceur que vous me croyez. Élisabeth, ma divine, j'ai votre âge ! Très exactement aujourd'hui, le 22 novembre 1999, j'ai, moi aussi, cinquante-trois ans ! N'est-ce pas extraordinaire ? N'y a-t-il pas là un signe du destin ? Se faire traiter, le jour de ses cinquante-trois ans, de « petit con » par la plus adorable des créatures, alors qu'on désespère depuis si longtemps... Chaque 22 novembre me rappelle cruellement d'abord que je vieillis, tristement oublié du bonheur, ensuite que j'appartiens au signe du scorpion, dont j'ai lu avec l'amertume que vous pensez, qu'il s'agit d'un signe essentiellement sexuel. Bien sûr, le scorpion est redoutable pour ses coups de queue... Je ne veux pas devenir, une fois de plus, une fois de trop peut-être, trivial, ma lumineuse Élisabeth. Pourtant...

Avec beaucoup d'humanité, de simplicité, de chaleur, vous tentâtes naguère de me réconforter, sans pourtant trop croire à mon désarroi... Élisabeth, bien sûr que cinq centimètres et demi suffisent au bonheur, et sans doute que votre beau soldat disparu n'excédait pas, comme tant d'autres, cette mesure honorable... Mais au repos, ma douce ! Quand il montait à l'assaut, réfléchissez, rappelez-vous ! C'était une autre histoire. Une histoire à rallonge !

Moi, ma céleste, c'est tout armé que je me hisse péniblement vers les cinq centimètres et demi ! Ah ! Que direz-vous de cela ? Mon bigoudi au garde-à-vous ne frise pas même la taille d'un rouleau de permanente... Concevez, très aimable Élisabeth, que j'en puisse me chagriner ! Et, de grâce, trouvez à me répondre quelque chose de vrai, de tendre, qui me ravisse et m'émeuve. Je sais que vous en avez le pouvoir et j'attends.

Je vous obéis en ne parafant plus Z.
Permettez-moi cette autre signature, « votre très reconnaissant Petit con ».

À son bureau.

Monsieur,

Au stade où en sont arrivées nos relations, je n'ose imaginer que vous aurez le cœur de poursuivre un canular dont vous riez peut-être avec des amis ? Je préfère croire à votre sincérité, même si parfois, au détour d'une phrase, la boutade transparaît si fort que le doute n'est plus de mise.

Je vais mettre toute mon âme dans cette dernière réponse. Ainsi, s'il s'agit d'un jeu, l'envie de vous moquer de moi vous quittera-t-elle. En vous parlant de mon beau fiancé tant aimé et regretté, je vous ai donné, il est vrai, un droit de regard sur notre histoire. Mais ce que je vous interdis, même pour vous amuser, c'est le ton badin et ostensiblement envieux dont vous l'évoquez. Une histoire à rallonge, vraiment, celle de ce jeune homme de vingt ans, fauché par l'imbécillité d'une guerre qui le dépassait ?

Oh, vous allez sourire ! La rallonge, je l'ai compris, c'était la somptueuse arme qu'il brandissait pour l'offensive la plus pacifique qui soit... Oui, quand il me faisait l'amour, il était fort et vigoureux, conquérant, sans arrogance. Mais, petit con, ce n'était pas une question de centimètres ! Jamais je n'ai pensé à le mesurer, sinon à l'aune de mon plaisir.

(Soudain, elle abandonne sa lettre, son bureau, se lève, va s'asseoir ailleurs, et se parle à elle-même).

Il entrait en moi quand j'en mourais d'envie, seulement quand j'en mourais d'envie. Il trouvait ma porte, il franchissait mon seuil, il était interminable et trop bref à la fois, à déjà revenir sur ses pas quand je l'attendais plus loin, à m'envahir plus fort quand j'avais peur qu'il fuie, à naviguer en beau vaisseau, fuselé, idéal, et je me refermais sur lui comme la mer sur le bateau, c'est moi qui lui donnais sa forme, son élan, sa vie, sa force. Ses dimensions, petit con, c'est dans mon ventre qu'elles naissaient vraiment, se dessinaient, se précisaient, se fondaient. Car le ventre d'une femme est un lieu magique, à la limite du rêve, une grotte à inventer, un labyrinthe qui vous égare, vous éblouit, vous échappe, vous sauve et vous perd. On peut l'investir d'un bélier féroce et s'y sentir minuscule, on peut, timide, hésiter à s'y risquer et, soudain, y devenir important, y connaître le sacre inattendu et grandiose de cette importance qui confine à la souveraineté. Un mouvement, un seul, une onde, un frémissement dans l'étui de velours qui vous épouse au-delà de vos espérances les plus folles, et vous engendrez le séisme. Et vous ruez alors à votre tour, fou de bonheur, dans votre prison étroite que l'incendie restreint encore, et vous devenez, à exploser enfin, un géant magnifique.

Moi, mon beau fiancé, je me faisais profonde pour le perdre et l'affoler, et je me resserrais pour le garder jusqu'à l'angoisse, et dans ma chair battante, j'entendais son alarme, je le sentais cavaler après la joie dans un galop terrible, désespéré, éperdu, la course démente d'un navire qui s'abandonne... Alors nous jouissions ensemble, farouchement accrochés l'un à l'autre comme si, déjà, nous savions...

> *Mais écoute, petit con : quand il m'avait fait l'amour deux ou trois fois, il n'était pas rassasié de mes cris. Et la rallonge, alors, venait à lui manquer. C'est dans ces moments-là que je le préférais, amoureux de mon plaisir, et diligent, inventif, tendre, génial. Son baiser m'écartelait de douceur, et sous sa bouche, j'étais comme une papaye retournée. Tu comprends ça ? Il me buvait l'âme, à même la source. Sa langue dans mon sexe avait un pouvoir sorcier, me soufflait des divagations torrides qui me faisaient monter à la rencontre de la caresse, quémander à coup de reins le frisson et la volupté...*

Dis, petit con, dis-moi... Qui t'empêche de prodiguer, avec ton amour, la caresse et l'ivresse ? Qui t'empêche de poser tes mains et ta bouche partout où l'on t'espère ?

Qui t'empêche d'offrir ton tourment, ton espoir, à celle que tu aurais pris la peine de rencontrer vraiment, qui te retient de t'en remettre à elle, de lui donner tes trésors, mêmes les plus pauvres ? Crois-tu qu'elle s'amuserait de tes craintes, celle qui t'aimerait vraiment ? Crois-tu qu'elle te jugerait trop petit, trop riquiqui, crois-tu qu'elle rirait du cadeau, humble peut-être, et par là plus précieux ?

Moi, petit con, voilà trente-six ans exactement que je fais l'amour avec un fantôme. Je l'appelle le soir. Il vient, docile, entre mes draps. Je le sais là dans le noir, avec moi. Il n'a pas vieilli. Il a vingt ans. Son corps est lisse et soyeux, ses épaules rondes, son ventre dur, la pointe de ses seins tendue et un peu humide sous mes doigts. Quand je l'ai bien retrouvé, il se couche sur moi, et je m'ouvre pour l'accueillir. Son poids de jeune mort ne pèse guère à ma chair, et sa queue de fantôme, toujours merveilleuse, m'écartèle de douceur. Alors je le berce longtemps sur moi, j'ondule sous le rêve, quelquefois mes mains s'envolent et se posent au rendez-vous de nos deux sexes, le mien bien vivant, offert, mouillé, le sien semblable à mes souvenirs, riche d'un pouvoir qui me fait me tordre dans l'ombre. Parfois, je le crois encore là, il est parti déjà, mes mains travaillent à sa place à mon bonheur solitaire. Mes mains, mes doigts, qui ne m'appartiennent plus, qui peaufinent le mirage, remplacent le rêve et m'arrachent des gémissements. Et c'est son nom qui me monte aux lèvres, comme s'il venait de me prendre, encore une fois, et de me combler.

Alors, petit con, tu comprends, tes problèmes de centimètres...

Elle se relève lentement, se mouche, se dirige vers le bureau où elle déchire le début de sa réponse, et, sur une nouvelle feuille, écrit vite, en lisant à voix haute, à voix claire et décidée :

Petit con,

On arrive à l'an 2000, il faut tourner la page ! En terminer une bonne fois pour toutes avec les préjugés rances, les regrets racornis. Fini à tout jamais le mirage des hommes virils, des grosses bites, des femmes béatement clouées. Fini les vieilles filles coincées et les petits rigolos qui s'en amusent. Fini les angoisses et les complexes du sexe. Donc, si ton chibre est trop petit, baise avec ta bouche, baise avec tes mains, avec ta peau, ton corps tout entier. Baise avec ton cœur, ta foi, ton âme...

Et si tu doutes encore, viens me trouver. Tu m'apporteras, par la même occasion, le zéro de cinq centimètres et demi qui manque à mon bonheur.

Je t'attends.

Élisabeth.

Voleur de feu

Elle était bien dans les paradoxes de sa vie. Elle courait sur les rives de la Meuse dont le cours paresseux rythmait les heures lentes de Charleville.

Il pleuvait fort sur son parapluie qu'elle refermait trop tôt, toujours trop tôt, bien avant d'avoir franchi la porte du Lycée Rimbaud. Dans le hall, elle riait à ses collègues, au travers des larmes que la pluie avait versées sur son visage de femme-enfant.

Aux murs de sa classe, l'Espagne éclatait en affiches colorées. Une buée encotonnait les fenêtres, on ne voyait plus l'averse, on n'entendait que son cliquetis de castagnettes sur les vitres, un adolescent déchiffrait laborieusement un article sur Vicente ESCUDERO, et elle, de temps en temps, d'un petit mouvement vif d'oiseau, levait la tête, pointait le doigt, corrigeait « Rrr ! Signiriya Ritana ! » Elle faisait toujours la même grimace, un peu insolente, un peu dégoûtée, quand elle s'appliquait à donner l'accent. Elle fronçait le nez, tirait parfois un petit bout de langue. La musique des mots espagnols chantait dans sa bouche en roulant et rocaillant, comme des cailloux charriés par une onde nerveuse. Et puis elle susurrait aussi, elle sifflait doucement, elle s'envolait, légère...

De leurs bureaux, ils la regardaient. Elle leur arrachait des sourires à force de conviction théâtrale, elle leur inspirait des rêves quand, ses hanches mobiles dans sa jupe droite, elle esquissait à peine l'élan des flamencos évoqués par l'article. Un jour, elle s'était si fort donnée dans la lecture d'une page, si concentrée, la mine durcie dans l'effort d'une prononciation impeccablement scandée, qu'ils avaient crié « Olé » à la fin, tous ensemble. Elle avait éclaté de son joli rire bondissant.

Elle se nommait Vitalie, ses amis disaient « Vit ». Agathe avait trouvé « Vitamine ». Les deux aînés avaient salué la trouvaille, adopté le surnom, Julien surtout en usait les jours de frasques, il l'appelait ainsi d'un bout à l'autre de la maison :

— Vitamine, trouve-nous.

Elle feignait de ne pas voir Agathe, recroquevillée sous la table, mais débusquait Julien pour le chatouiller. Alors Frédérique accourait à son tour, jalouse, au fond, de ces jeux qu'elle mettait pourtant un point d'honneur à dédaigner. Du haut de ses dix ans, elle toisait d'un œil ostensiblement méprisant ces ébats bruyants, elle haussait les épaules. Vitalie en reprenant son souffle la caressait au passage, l'entraînait d'une étreinte affectueuse :

— Viens me réciter ta poésie.

C'était souvent à la cuisine qu'Olivier les surprenait vers huit heures du soir. Vitalie mélangeait une salade, sortait un plat du four. Ses gestes enchantaient le quotidien d'une grâce vive et drôle. Agathe tournait autour de la table dressée en repliant les serviettes à sa façon. Frédérique, la tête dans les mains, mâchonnait une récitation. Vitalie suçait son index échaudé dans une manœuvre périlleuse et disait :

— C'est quoi, le cielmuse ? Ça existe, ça, le cielmuse ? Arrête-toi, respire : j'allais sous le ciel, virgule, Muse.

Olivier appelait Julien :

— Toutes nos squaws sont à la cuisine, Jul ! Viens voir, c'est réjouissant !

Vitalie lui jetait un œil faussement noir. Il caressait sa bouche à la frange qu'elle lui tendait, répondait : « Bof » à sa question : « Bonne journée ? », taisait tout en bloc, sa routine un peu usée de médecin et cette douleur toujours neuve de savoir souvent la mort proche. Vitalie insistait : « Le genou du petit Favier ? » Il se lavait les mains à l'évier de la cuisine, en homme fatigué qui économise ses pas. « Tumeur osseuse. On lui refera une rotule... » Il se servait un verre de vin, attirait sa femme sur son genou : « Ma Vitale... »

Il l'avait connue petite, il l'avait soignée. Il avait encore pour elle des tendresses de père et déjà, presque, une gratitude de vieillard réchauffé à sa jeunesse de jolie femme. Il l'aimait d'un amour absolu et dépourvu de doutes, avec cette généreuse condescendance que permettaient leurs dix-sept ans de différence. Elle se laissait chérir, câline à sa façon, toujours un peu pressée, partagée entre toutes ses tâches, toujours comme appelée ailleurs. Aux murs de leur maison, elle avait posé des pêle-mêle de photos où les frimousses de leurs enfants souriaient à tout âge. Lui s'occupait des comptes, avait fait des placements, projetait d'acheter un appartement à Paris, pour leurs études, plus tard. Il parlait d'avenir parce qu'il était plus vieux qu'elle et le soir, au lit, il épluchait des revues immobilières. Elle, elle faisait des mots croisés.

Ce soir-là, elle calait sur une définition : « Peintre néerlandais, en quatre lettres, commençant par un M... » Olivier ne leva pas les yeux de son journal pour répondre :

— Moro, Antonio Moro.

Vitalie s'étonna :

— Moro : c'est un Espagnol !

— Non, petite. Il a travaillé en Espagne, mais c'est un Néerlandais. Surprenant qu'une hispanophile comme toi puisse commettre ce genre d'erreur !

Déjà, elle le faisait taire d'une bourrade. La courte lutte s'acheva en baiser. Leurs journaux se perdirent dans la houle des couvertures.

Plus tard, dans le noir, elle dit :

— Je vérifierai, demain, pour Moro.

Il rit doucement :

— Tu n'aimes pas avoir tort, hein, ma Vitale ?

À la bibliothèque où elle devait rendre des livres, elle avait demandé un dictionnaire des peintres, vite consulté au guichet même : « Moro – Anton MOOR VAN DASHORST, dit Antonio, peintre néerlandais ». Une grimace de dépit avait pincé sa bouche.

— Vous avez quelque chose sur Antonio Moro ? avait-elle questionné.

La bibliothécaire lui avait mis du baume au cœur : « C'est un Espagnol, non ? » et dûment détrompée, lui avait procuré un ouvrage sur la peinture de la Renaissance. Vitalie s'éloignait, la dame la rattrapa :

— Attendez, j'ai encore ça !

Elle brandissait un autre livre qu'elle apportait. Elle le feuilleta en marchant et, parvenue à la hauteur de Vitalie, posa le livre ouvert sur une table. « Voilà ! Antonio Moro, 1517 – 1576 ». Vitalie remercia, s'assit à la place qu'on venait de lui assigner, s'absorba dans les photos des peintures. Son cartable était bourré de copies à corriger. Elle fourragea pour y trouver une feuille vierge, prendre quelques notes. Et soudain, elle s'aperçut qu'il était là.

En face d'elle, de l'autre côté de la table, un homme la regardait. Il était beau d'une étrange beauté, rayonnait d'un feu sombre. Tout en lui brûlait noir. Ses mèches brunes, son visage mat aux traits tendus, ses prunelles d'un jais profond... Vitalie baissa les yeux.

Le lendemain, la secrétaire du lycée vint chercher Vitalie dans sa classe :

— On vous demande au téléphone, ça a l'air urgent.

Dans les escaliers, Vitalie pressait sur son cœur une main glacée en pensant à ses enfants. Elle faillit lâcher le combiné avant de le porter à son oreille. Puis elle entendit une voix, une drôle de voix, rauque, mystérieuse, qui racontait des choses absurdes :

— Bibliothèque... copies... j'ai deviné... professeur... la dame m'a dit... lycée Rimbaud. Pouvons-nous nous revoir ?

La hargne s'empara d'elle avant le soulagement.

— Quoi ? C'est pour ça ? Pendant mes cours !

Elle bégayait. Elle raccrocha, s'élança dans l'escalier : la secrétaire la rattrapa :

— Vous avez emporté mon bloc-notes !

Pâques approchait. Pendant les vacances, les enfants iraient passer huit jours en Bretagne chez leurs grands-parents. Vitalie avait des courses à faire. Comme elle traversait une rue, elle sentit un frisson désagréable dans son dos, une sorte de goutte froide qui lui fit remonter les épaules et creuser les reins. L'homme était là, sur le trottoir, qui la regardait venir. Elle hésita, recula, une voiture derrière elle klaxonna, elle n'avait plus le choix... Une panique bête l'immobilisa au milieu de la chaussée. Finalement, elle se mit à courir, fonça tête baissée, le frôla sans doute, délibérément aveugle, concentrée sur ses pieds qui fuyaient... Elle s'arrêta bien plus loin, contre une vitrine. Elle avait envie de pleurer.

— Je suis folle ! murmura-t-elle.

À la bibliothèque, elle n'osait pas se retourner. La dame prit les livres, y replaça les fiches de prêt. Vitalie savait qu'il était là, elle l'avait aperçu en arrivant. Elle souffrait de son regard sur ses épaules, ses hanches, ses jambes. Elle ne savait plus se tenir droite. Soudain, un courage inattendu la retourna. En quatre pas, elle fut sur lui, à se pencher, sévère, les deux mains sur la table :

— Écoutez, dit-elle.

Il posa la main sur son poignet, et elle n'ajouta rien. Il la regardait presque humblement, avec ses yeux noirs d'où avait fui à présent cette flamme inquiétante qui l'avait troublée la première fois. Il avait la tête levée vers elle, il se fit suppliant :

— Allons boire un verre.

Sa voix était une chanson connue, un air familier, un rien d'accent y roucoulait à peine. Elle pensa « C'est un Espagnol ». Elle pensa aussi au toréador qui ornait un des murs de sa classe, beau et ténébreux, cambré devant le danger en un ballet ambigu. Il se levait, il était plus grand qu'elle, mince, il s'effaçait pour la laisser passer, élégant sans calcul, d'une grâce androgyne.

Il buvait un café avec du marc. Il avait des mains fines, des gestes précis. Il allumait une cigarette. Elle attendait qu'il souffle la fumée, elle était suspendue à ses regards, à ses gestes. Déjà son nom caracolait en elle, avec des allures d'animal fantasque « Miguel... ». Il parla peu, ne dit que l'essentiel. Il était professeur à l'université de Madrid. Fou de Rimbaud depuis quelque temps déjà. Venu à Charleville pour y trouver des traces. Il écrivait un livre sur le poète. Il s'excusa aussi pour le coup de fil au lycée. Elle ne trouvait plus ses mots. Elle secoua la tête :

— *No importa.*

Elle souriait. Avant de partir, elle déclara un peu bêtement :

— J'adore l'Espagne.

Il lui prit les deux mains, la tint un instant prisonnière, sous le joug de son ardent regard, toute à lui et frémissante d'une peur adolescente. Il dit seulement :

— Merci. Lui remit un petit papier plié en quatre.

Le soir, Olivier la trouva étrange. Elle s'agitait vainement. Arpentait la maison à la recherche d'objets qu'elle ne trouvait pas, faute de se rappeler ce qu'elle était allée quérir. Elle décréta :

— Je me couche tôt.

Il la rejoignit tout de suite. Elle était fébrile contre lui, se pelotonnait comme une chatte, offrait son cou, réclamait la caresse d'un mouvement d'épaules impérieux et sensuel. Il la prit vite, elle était prête, exigeante comme rarement.

— Petite, ma petite... soupira-t-il.

Elle gémissait déjà.

Au matin, il la réveilla avec une tasse de café. Elle émergeait laborieusement, attendrissante dans son désordre de mèches ébouriffées. Il s'assit près d'elle, posa un doigt sur la naissance de sa poitrine, souleva la médaille qui s'y nichait.

— Olivier, dit-elle. Je n'irai pas à Bordeaux avec toi. Je m'embête, moi, pendant que tu congresses. J'ai envie de me reposer.

Il posa sa tête bien coiffée sur la jeune poitrine, comme un docteur des anciens temps :

— Comme tu voudras, mon amour. Il ajouta : Mais peut-être que dans deux semaines, tu auras changé d'avis.

— Non, dit-elle. Dans deux semaines, je serai encore

plus fatiguée. Huit jours sans les enfants et sans toi, ça va être bon.

Il étouffa une espèce de plainte incrédule :

— Je te fatigue, moi ?

Elle ne répondit pas.

Elle déplia le papier où il avait noté son numéro de téléphone. Ses doigts tremblaient. Elle murmura :

— Miguel.

Il restait silencieux. Elle parla vite :

— Il y a dans ma classe, sur une affiche, un torero qui vous ressemble.

— Je suis un torero blessé, fit-il. Soigne-moi.

— Je ne veux pas venir à votre hôtel. Elle avait du mal à articuler. Je ne veux pas d'hôtel.

Il demanda :

— Où, alors ?

La pluie avait cessé. L'herbe était encore mouillée sur les bords de la Meuse. Quand il eut refermé les bras sur elle, elle ne connut plus rien du monde. Elle leva la tête pour boire à sa bouche. Il avait un goût d'alcool fort. Puis il n'eut plus que son goût à lui, intime, doux et salé à la fois, comme le sang d'une écorchure qu'on suce, le goût du désir. Elle croyait le recevoir en elle, entre ses lèvres, sur sa langue éblouie. Mais c'était lui qui la mangeait, qui se nourrissait d'elle, qui aspirait son âme. Il la vidait de ses forces, elle mourait de se laisser prendre ainsi et de se donner si peu.

Elle tomba, il s'abattit sur elle. Les mains affolées tout de suite à la retrousser, à la débusquer sous ses vêtements. Elle suppliait :

— Attends, attends.

Il dit très bas avec un visage violent et égaré :

— J'ai eu trop mal de t'attendre, lui saisit la main, la posa, à travers l'étoffe, sur son sexe : Touche !

Elle ne retira pas sa main, elle la garda posée là, écartée, bien à plat, comme pour le tenir un instant encore à distance. À genoux au-dessus d'elle, hagard, il était cette bête farouche qu'un miracle dompte tout soudain et fige au bord de l'assaut. Une seconde, deux passèrent ainsi. Elle rompit le sortilège la première, l'agrippa des mêmes doigts qui l'avaient arrêté, cria :

— Viens, maintenant !

Il se rua sous sa jupe, frénétique à la débarrasser de son collant, de sa culotte. Elle tentait de l'aider dans des torsions de sorcière, s'épuisait à présent de l'espérer. De loin, leurs noces eussent passé pour un combat terrible. Enfin, il fut en elle, elle célébra son invasion d'un long cri tragique, verrouilla autour de lui la prison de ses jambes et de ses bras. Il y avait dans ses yeux deux larmes qui tremblaient sans déborder.

Dans la cuisine en désordre, Vitalie tentait de s'affairer. Les enfants piaillaient, leurs petites chamailleries matinales ne l'atteignaient pas. Quand ils furent tous à table, elle entreprit de leur servir le petit déjeuner. Olivier passa, habillé, rasé, très homme d'affaires avec son attaché. Vitalie s'était rassise. Elle n'entendait pas le silence amusé autour d'elle. Agathe ouvrait de grands yeux pour regarder son bol. Elle finit par dire :

— Pourquoi tu m'as mis du café, Maman ?

Les deux grands riaient. Olivier lui toucha l'épaule, doucement :

— C'est vrai que tu es fatiguée, ma Vitale.

Elle faisait réciter une élève, le regard fixé sur l'affiche du torero.

— *Si me Uamaras, si me llamaras.*
Le dejaria todo...
La sonnerie les mit tous debout.
— Au revoir, Madame ! Bonnes vacances.
Ils s'éparpillaient. Elle demeura seule dans la classe.
Le soir, elle avait mis le couvert dans la salle à manger. Ses beaux-parents insistaient.
— Vous ne voulez vraiment pas venir, Vitalie, vous vous reposeriez.
Le timbre du téléphone les interrompit. Vitalie se dirigea vers le salon, revint :
— Olivier est bien arrivé à Bordeaux. Il vous embrasse. Vous aussi, mes chéris, ajouta-t-elle pour les petits. Mais elle ne s'assit qu'à peine. Se releva prestement :
— Oh ! Je le rappelle, j'ai oublié de lui dire quelque chose.
Elle repoussa sur elle cette fois, la porte du salon, composa le numéro :
— Demain, dit-elle, je serai libre vers dix heures.

Miguel avait loué une voiture. Elle était montée sans un mot. Ils roulèrent un moment en silence. Ils avaient quitté Charleville par le nord-ouest. Ils arrivaient vers Rocroi. Miguel s'arrêta, coupa le moteur, la regarda. Quand il lui toucha la cuisse, elle tressaillit comme brûlée.
— Pour les hôtels... dit-il.
Elle baissa les yeux :
— Je sais, on ne peut pas faire autrement.
Elle semblait presque souffrante. Il prit sa main, la guida.
— Reste là ! dit-il.

Elle obéit. Ils repartirent. Elle sentait sous sa paume le sexe de Miguel dur et vivant.

À Rocroi, ils avaient pris une chambre. Les rideaux tirés entretenaient une pénombre hors du temps. Il déclara :

— Je vais te voir nue.

Elle s'abandonna. Il avait des gestes lents et habiles. Elle fermait les yeux. Il s'agenouilla pour lui ôter ses chaussures. Ses mains remontèrent sous la jupe à la recherche des sous-vêtements, s'attardèrent sur les courbes du jeune ventre, des fesses, des cuisses, dénudèrent la chair avec des sensualités de chorégraphe. Il remonta à la rencontre de sa bouche, de ses yeux, de ses seins qui mouraient d'impatience, la libéra, bouton après bouton, et quand elle fut nue, elle éclaira la pièce de sa seule présence. Il demeura là, un peu, à la contempler. Il était encore habillé. Il pria :

— Réinvente tout. Réinvente-moi.

Elle avança sur lui, l'obligea à reculer jusqu'au lit, l'y poussa ; il s'allongea, jambes pendantes, bras ouverts ; elle le chevaucha, d'abord doucement puis de plus en plus impérieusement, lascive et volontaire, l'œil allumé, la mine aiguë, le ventre indécent dans ces frictions rythmées. Elle murmura :

— Je te ferai te rendre, tu ne tiendras pas longtemps !

Elle s'ouvrait sur lui, écrasait sa chair à la meurtrir, et lui, essoufflé, sans courage, luttait pour la subir encore une seconde. Il avança la main entre leurs pubis, elle était mouillée, elle avait mouillé son pantalon, il sentit la trace humide de son passage sur le tissu ; elle continuait à se frotter sur ses doigts. Sa main à lui devenait folle, crispée sur sa queue battante, parcourue par la chaude et terrible caresse de ce sexe de femme écartelé. Il cria :

— Attends !

Ils surent alors tous les deux qu'ils n'étaient plus les mêmes.

Ils étaient sur le lit, Miguel levait au plafond un visage torturé, Vitalie le dominait toujours. À présent, Miguel n'avait plus de vêtement. Il nouait ses mains à la nuque de sa compagne :

— Je veux être à toi.

Elle nagea sur lui, referma ses jambes, les coula au milieu de celles de Miguel qu'elle força à s'ouvrir. Elle creusa sa place d'une reptation têtue. Miguel demeurait étendu et passif, comme écrasé par ce corps qui séparait le sien. Elle l'attrapa aux cuisses.

— Sois à moi, dit-elle.

Il obéit, leva les genoux. Elle avait réussi à le garder en elle, elle le tenait serré à l'étroit de son sexe fermé.

— Ouvre encore, dit-elle.

Il s'appliqua, docile. Il sentit qu'elle coulait une main sous ses hanches, entre ses fesses. Il retenait son souffle. Elle ne le quittait pas des yeux, durcie par le désir de lui plaire, et de le soumettre. Elle ordonna :

— Appelle-moi.

Il murmura :

— Viens.

Il eut mal parce qu'elle ne cherchait pas à l'épargner. Il jouit avec une grimace qui la bouleversa.

Ils arrivaient dans une autre chambre qui ressemblait à la première. Le décor paraissait n'avoir pas changé. La couleur des rideaux seulement, d'un rouge pompeux.

— Des rideaux de théâtre, avait dit Miguel. C'est là qu'il l'avait attirée contre lui, qu'il avait dirigé sa main d'un geste à présent familier. Mais ce qu'elle avait senti, dur sous ses vêtements parmi la chair tendre, n'avait plus rien de vivant. Elle avait retiré sa main très vite :

— Qu'est-ce que c'est ?

Il avait sorti le pistolet de sa ceinture. C'était une arme de facture ancienne.

— Je l'ai volé, dit-il.

Il eut un petit rire amer :

— Le voleur de feu !

Elle semblait incrédule :

— C'est un vrai ?

Il tournait l'arme entre ses mains avec des précautions amoureuses :

— Quand je l'ai volé, il n'était pas dangereux. C'était dans un théâtre.

— Et maintenant ?

— Maintenant, j'aime la peur.

Il l'attira à lui, la ceintura d'un bras à sa taille :

— Sois ma vie, sois ma peur !

Elle accepta de prendre l'arme dans sa main, n'hésita qu'un instant. Puis brutalement résolue, elle en braqua la bouche sous les couilles de Miguel, avec un regard mauvais. Il sentit qu'elle se pliait au jeu, se plaisait à ses règles. Il frémit avec ferveur. Alors, elle le toucha partout du bout du canon qu'elle promena sur lui avec des lenteurs atroces, ne renonçant à aucune inquisition, déléguant à l'objet ses pouvoirs de caressante sorcière. Il s'était déshabillé. Elle parcourut son dos, sa poitrine, son ventre, se nicha au creux d'une aisselle, sous une oreille, fourragea entre ses fesses, et lui, haletant, recueilli, avoua dans un souffle :

— Il est armé.

Elle avait une expression joyeuse et cruelle :

— J'espère bien. Dis-moi pourquoi tu l'as pris ?

— Un souvenir.

— De quoi ? De qui ?

Il se taisait. Elle s'écarta de lui, l'arme toujours au poing. Elle était couchée. Elle ouvrit les jambes, voyagea du bout du pistolet de son genou à son pubis, en descendant lentement le long de sa cuisse. Miguel fronça les sourcils :

— Attention !

— Non ! dit-elle. Moi aussi, j'aime la peur. Raconte-moi !

— La pièce qu'ils jouaient, c'était la vie de Rimbaud. Je l'ai vue trente fois. Avec ce pistolet, Verlaine tirait sur lui.

Elle se caressait toujours. Elle leva des yeux qui signifiaient : « Et puis ? ». Il chuchotait à présent :

— Cet acteur... ce garçon...

— Verlaine ?

— Non.

Très doucement, il arrêta la main qu'elle promenait toujours, lui enleva l'arme :

— Je veux guérir, dit-il.

Elle glissa au pied du lit, avança la bouche vers son sexe. Il l'attrapa aux cheveux, lui releva la tête férocement.

— Pas de mièvrerie ! Fais-moi l'amour ! Fais-moi la mort ! Crève-moi ! Fais-moi revivre. Déchaîne-toi ! Déchaîne-toi !

Alors, l'arme fit partie de leur histoire. Lorsqu'ils s'arrêtèrent à Charleroi, ils prirent une chambre qu'ils ne quittèrent pas de trois jours. Ils ne parlèrent plus de Rimbaud ni de l'acteur qui l'avait incarné. Ils y pensèrent seulement, ensemble et tellement fort que toutes leurs étreintes en furent imprégnées. Vitalie, en quelques jours d'errance, avait maigri. Son petit visage ambigu avait perdu, avec la tranquillité heureuse d'une vie bien ordonnée, sa juvénilité. Elle paraissait plus fragile et, bizarrement, plus femme. Mais à la faveur des ténèbres que Miguel entretenait soigneusement, elle avait aussi, aux heures furieuses de leurs corps à corps, des allures d'homme intraitable et rude. Son compagnon, en revanche, qui s'était montré souvent impétueux, impatient, agressif comme un taureau défié, n'était plus que fièvre murmurante et langueur... Son abandon fouettait Vitalie, lui soufflait des exigences auxquelles il se soumettait en tremblant d'un bonheur trouble.

Elle le mit à genoux, lui courba la tête d'une pression de l'arme. Elle se posta derrière lui, s'amusa à l'épouvanter :

— Tu sens ma queue, demanda-t-elle, tu sens comme je bande pour toi ?

Elle appuyait le pistolet contre lui, au plus secret, au plus sensible :

— Je te défonce, si je veux.

Un frisson creusa l'échine de Miguel :

— Vas-y, dit-il.

Elle joua avec sa terreur, d'une main qui manipulait l'arme, de l'autre, elle le branlait sans douceur.

— Tu vas cracher ta peur, Miguel, je t'arracherai ton venin.

Il marquait chaque traction sur son sexe, chaque tentative d'invasion d'un sourd ahanement qui ressemblait à un sanglot.

À Bruxelles, elle posa l'arme sur la table basse.

— Non ! dit-elle. Aujourd'hui, je saigne.

Il l'attrapa aux épaules violemment :

— Moi aussi, toujours... Et alors ?

Il arracha ses vêtements qui le brûlaient, lui mit le pistolet dans la main.

Elle était nue, elle sentait son sang couler. Il avait voulu s'asseoir sur une chaise, la prendre sur lui. Elle le chevauchait, il était en elle, fiché loin comme une écharde. Elle tenait le revolver entre eux, canon braqué sous le menton de Miguel.

Il gardait les mains dans son dos, ne la touchait pas, fermait les yeux. Il demanda :

— Parle-moi.

Il serrait toujours les paupières. Elle accentua la pression du canon sous sa mâchoire, l'obligea à relever la tête :

— Ouvre les yeux ! Lâche ton rêve ! Regarde-moi !

Il obéit douloureusement. Elle bougea, monta, descendit sur lui.

— Je te baise, dit-elle. Et quand je jouirai, j'appuierai sur la gâchette.

Il ne répondit rien, demeura figé dans son attitude de martyr attentif. Son visage tourmenté devenait un masque aux yeux vides. Un tic nerveux pourtant se mit à lui tirailler une pommette. Elle amplifia ses mouvements, s'absorba dans la quête de ce plaisir somptueux qui la ravageait si aisément depuis qu'elle l'avait rencontré. Son cœur, sa voix se détraquaient :

— C'est là, c'est bientôt là, ta queue me remplit, tient de plus en plus de place, le plaisir gonfle, gonfle en moi... Je vais exploser et toi aussi. Je vais jouir et tu vas mourir, Miguel, mon torero blessé, je vais te tuer.

La vague terrible s'abattit sur elle, l'emporta, sa main sur la gâchette se crispa. Avant le sommet de la déferlante, un éclair de lucidité l'éblouit. Elle s'arracha à la joie, à Miguel, à leurs jeux affreux. Un bond la fit reculer, debout, effarée. Miguel avait refermé les yeux. Son sexe et ses cuisses étaient rouges, mais c'était de son sang, de sa blessure à elle. Il lui prenait sa vie. Il la rendrait folle. Elle eut peur de lui, cloué là sur sa chaise, offert, sanglant, monstrueux. Un infernal époux...

Elle tira.

DÉCOUVERTE

Sylvie est anxieuse. Sa main moite laisse des traces humides sur les pages du *Marie-Claire* qu'elle feuillette sans parvenir à lire trois lignes d'affilée. Elle est assise entre deux gros ventres. Celui de droite affiche peut-être bien sept ou huit mois, l'autre semble carrément prêt à exploser. Sa propriétaire, comme ébahie par l'avatar, s'efface sous l'écrasement de cette montgolfière et écarte les genoux.

Écarte les genoux... Sylvie se demande ce qu'ils vont lui faire, cette fois, pressent une nouvelle et tragique séance qui mettra sa pudeur à la torture. Si ce n'était que d'elle... Passés les premiers examens éprouvants, et les questionnaires horribles, et les attentes interminables dans ces salles où les futures mères viennent étaler sans scrupule l'enviable rotondité de leur état, elle aurait renoncé... Trop de gêne, trop d'amertume et de complications. Elle l'a dit à Patrick :

— On a mis les pieds dans un dédale d'embarras... ça me fait peur, ça me fatigue. Si on déposait un dossier d'adoption, plutôt ?

Patrick s'est récrié : Adopter ! Alors là, point de vue embarras, incertitude, et longueur de temps, elle allait être servie ! Point de vue enquête aussi, elle qui n'aimait pas les questions !

C'est la quatrième fois qu'elle vient à la consultation. L'ultime avant une tentative de FIV. Jusqu'à présent, les traitements prescrits après chaque examen ont échoué. Tous ces supplices en vain ! Se déshabiller, s'installer sur la table. « Posez les pieds dans les étriers ! Écartez bien les genoux ! ».

Sylvie en a des frissons qui lui remontent les épaules. Elle a expliqué à Patrick sa grande honte, sa répulsion à se livrer ainsi, écartelée sous l'œil froid des équipes médicales.

— Et tu veux un enfant ? a-t-il ironisé. Alors, comment vas-tu accoucher ?

— Mais si j'étais enceinte, le sacrifice vaudrait le coup, tiens ! Tandis que là... Je m'oblige à des trucs qui me révolutionnent pour rien !

— Des trucs qui te révolutionnent ! Et moi ? hein ? Tu crois que ça a été facile, de remplir leur tube ?

Ah ! le coup du spermogramme ! Imparable. C'est vrai qu'à lui, ils ont demandé de jouir dans une éprouvette... Elle aurait été bien embêtée, à sa place. Déjà qu'avec son mari, elle n'a jamais rien ressenti, jamais, jamais, même quand il était très gentil, même quand il était très patient... Alors avec une fiole de verre...

Le magazine lui colle de plus en plus aux doigts, une photo en noir et blanc a déteint sur son pouce fiévreux. Sa montre marque la demie. Une heure dix de retard ! Le record n'est pas encore battu, la dernière fois, elle a attendu deux heures et quart.

— Madame Vernet.

Sylvie vient de sursauter. Vite, ramasser son sac, son imperméable, poser le magazine qui tombe... Elle trébuche contre le pied d'une table basse, perd la tête, se cogne, hagarde, au chambranle. La secrétaire qui est venue la chercher marche vite dans le couloir, enfonce la porte d'une cabine.

— Déshabillez-vous là !

— Complètement ?

— Oui. Le docteur Marpaud arrive.

Le docteur Marpaud ? Encore un nouveau ? Sylvie tremble en ôtant ses vêtements et s'interroge sur la physionomie du praticien qui va s'occuper d'elle. Jusqu'à présent, les têtes chenues et les calvities se sont alternativement penchées sur le mystère de ses entrailles stériles. Sylvie, toute nue, ne sait pas quoi faire de son corps, de ses mains, hésite à soulever le tas de ses habits pour prendre leur place sur le tabouret. Mais la seconde porte du réduit, celle qui donne sur le cabinet de consultation, coulisse soudain.

— Madame Vernet ?

Mon Dieu ! S'il est écrit qu'elle doit mourir de confusion, c'est pour aujourd'hui ! Le docteur Marpaud est abominablement jeune, sans doute bien plus jeune qu'elle, et son regard, encore malhabile à feindre une neutralité toute professionnelle, a zigzagué follement sur sa chair offerte, comme piégé par le spectacle, et pris de panique. Puis il a brusquement tourné le dos, en marmonnant quelque chose. Elle suppose qu'elle doit le suivre, se risque dans la lumière trop crue d'une petite pièce où trône l'affreuse table. Le jeune docteur dont elle ne voit toujours que les épaules, consulte un dossier, se racle la gorge.

— Alors, hum, donc aujourd'hui, le professeur Galley n'a pas pu être là. Une urgence. Donc, il vous a reçue le... 8 septembre.

Il fait lentement volte-face, mais garde les yeux sur

ses notes. Il a un geste vague de la main pour désigner la table.

— Installez-vous, je vous prie ! Donc, il vous avait prescrit du Nidalvène et vous avait demandé d'attendre quelques cycles, et de ne reprendre rendez-vous qu'en cas d'échec. Donc, je suppose que si vous êtes là, c'est que le traitement n'a pas marché.

Il vient de relever les yeux. Sylvie est assise sur l'extrême bord de la table, ses deux pieds sur la marche métallique qui permet d'y accéder, ses mains jointes entre ses cuisses serrées.

— Installez-vous confortablement, insiste-t-il. Donc, il m'a demandé, aujourd'hui, de procéder à une échographie interne. Donc... Vous savez en quoi ça consiste ?

Sylvie fait non de la tête. Il tord la bouche.

— Eh bien, donc, je vais introduire en vous cet appareil qui est une sorte de caméra... Nous serons fixés sur un éventuel problème de trompe ou d'ailleurs... ou... donc...

Sylvie, navrée, contemple l'appareil dont il vient de se saisir, un cylindre blanc, arrondi du bout, à la forme si suggestive qu'elle se sent effroyablement rougir. Son cœur se détraque dans sa poitrine, la tentation d'une fuite éperdue traverse son cerveau en feu. Le jeune homme a dû la voir s'empourprer. Il ajoute, très vite et à voix plus basse :

— C'est rapide et absolument indolore.

Et, au bout d'un moment, la tête penchée comme pour une supplique, les yeux presque tristes :

— Confortablement, je vous prie...

Sylvie réalise qu'il est peut-être aussi mal à l'aise qu'elle. Malgré sa blouse blanche et le stéthoscope négligemment passé à son cou, il a l'air d'un enfant. Ses prunelles mobiles semblent chercher autour de la pièce une improbable échappatoire. Sylvie recule sur le tapis jetable, cherche des talons les étriers, dont la fraîcheur la crispe. Le jeune homme s'approche d'elle, le tube obscène à la main. Il manœuvre le bouton d'une sorte de télévision, au chevet de la table.

— Donc... avancez un peu, je vous prie, encore un peu... Donc...

Sylvie ferme les paupières, tout entière nouée par l'appréhension, écorchée vive dans l'attente du scandaleux outrage, qui n'arrive pas. Un bruit de papier qui s'éternise lui fait rouvrir les yeux.

— J'allais oublier... s'excuse le docteur. Il faut d'abord que je revête l'appareil d'un préservatif...

Il vient d'extraire péniblement d'une boîte de carton une petite plaquette qui ressemble à un chewing-gum. Chez Sylvie, la curiosité estompe un peu la gêne. Elle n'a jamais vu de préservatif. Elle n'a connu que Patrick, et encore a-t-il accepté d'attendre leur mariage pour ça. Le soir de leurs noces, il lui a demandé si elle voulait qu'il mette une capote. Elle a dit :

— Pourquoi faire ?

— Plutôt ne pas faire, a-t-il répondu. Ne pas faire d'enfant. Pas tout de suite.

Elle a ri. Maintenant, il y a dix ans qu'elle ne rit plus du tout. Patrick lui a fait mal la première fois, puis moins mal, mais jamais de bien, et jamais d'enfant...

Le petit gars est rouge à son tour. Il vient de jeter à la corbeille le deuxième truc blanchâtre et visiblement gluant qu'il n'est pas parvenu à dérouler sur la caméra.

— Je ne comprends pas, bafouille-t-il, d'habitude... Deux fois que je me trompe de côté !

Sylvie se dresse sur ses coudes, prend la liberté de déserter les étriers pour s'asseoir plus commodément, et suivre des yeux la troisième tentative. Le docteur déchire l'étui d'un geste précautionneux, il en extrait un anneau de caoutchouc qu'il contemple avec circonspection, haut levé entre son pouce et son index. Il souffle dessus, d'un côté, de l'autre, affiche une mine désappointée.

— C'est un monde !

Entre ses doigts, l'anneau palpite faiblement.

— Faites voir ? hasarde Sylvie.

Elle prend l'objet, à son tour le scrute, en oublie sa nudité pour s'intéresser au problème.

— Il faut le ?...

Elle fait un geste drôle, involontairement cru, pour mimer la mise en place sur le tube, le pouce et l'index arrondis et voyageurs autour d'un axe imaginaire. Le docteur sourit, confus.

— Oui ! c'est un monde !

— Comme ça ? proposa Sylvie en ajustant la cape de caoutchouc sur l'embout du cylindre.

Elle essaie de dérouler la fine membrane, qui résiste.

— Ça coince, dit-elle.

— Mais oui, ça coince, on ne sait pas de quel côté le prendre, c'est de la merde, ces trucs !, s'indigne le gamin. Un monde !

— En le retournant ? suggère Sylvie.

— Essayez !

Ils sont amusants tous les deux, lui debout en blanc, elle toute nue sur sa table, leurs têtes se touchent presque, leurs mains s'affairent à la même besogne, s'énervent dans le même défi.

— Ah !

Elle a poussé un cri clair et ravi.

— Tout de même ! approuve-t-il, et, assurément, il pose sa main sur celle de Sylvie, l'accompagne dans sa descente victorieuse.

— On l'a eu ! dit Sylvie.

— C'est vous, reconnaît son compagnon.

— Un hasard, jusqu'à aujourd'hui, j'ignorais tout de cet objet.

— Une grande première, alors, comme pour moi : c'est ma première échographie interne en solo.

— En solo ?

— Sans professeur. Tout seul.

— Je suis là, moi !

— Oui, dit-il. Une chance. Allez, on y va. Bien confortablement, donc...

Elle a repris sa position de patiente offerte, a pensé à rapprocher ses fesses le plus possible du bord, a consciencieusement écarté les genoux, s'est ouverte, creusée, plus paisible soudain, résignée et presque détendue.

— Voilà, a-t-il dit. Bien décontractée ! J'entre.

Le truc n'est pas froid. Il est tiède de la main du jeune homme, lisse et satiné. Il s'insinue en elle doucement, presque tendrement, il navigue avec lenteur, latéralement d'abord, puis plus profondément, elle sent sa tête ronde entre ses reins, sous sa vessie, il ondule avec des reptations de bête fouineuse, pousse son museau têtu dans chaque petit coin de son ventre, et sa peau de caoutchouc huilée enchante Sylvie d'une heureuse plénitude.

— Ça va ? demande le docteur.

— Oui, souffle-t-elle.

En fait, ça va bien, très bien. Après la grande appréhension de tout à l'heure, la détente lui semble délectable. Un bien-être l'a envahie, une écoute dense et de plus en plus satisfaite, une sorte d'harmonie qui la chaufferait partout, vibrerait, ronronnerait dans son ventre comme un gros chat câlin.

— Je ne vois rien d'anormal, dit le jeune homme, les yeux rivés à l'écran.

Sa main bouge, déchaînant en elle des vagues de béatitude presque inquiétantes à présent. Avec son autre main, il appuie sur l'abdomen de Sylvie. L'appareil emprisonné est planté dans sa chair comme une délectable et insupportable gourmandise. Sylvie, alarmée, se sent gonflée comme sous l'assaut d'un besoin impérieux, elle respire mal, il faudrait peut-être qu'elle demande les toilettes. Et puis, soudain, elle s'abandonne et ferme les yeux sous la déferlante qui vient de naître au tréfonds de ses mystères et qui va la noyer, elle le sait, c'est désormais inévitable, elle serre les lèvres, les dents, les poings. Mon Dieu ! Faites qu'elle ne dégouline pas là sur les jambes de ce garçon, faites qu'elle ne hurle pas, qu'elle contienne son cri et son spasme, le miracle vient d'arriver, à cause d'on ne sait quoi, de ce type timide, de ce paf en plastique, de cette capote veloutée, elle jouit, elle jouit, elle est sûre que c'est ça, c'est indubitable, aveuglant de bonheur torride, indicible de volupté, elle cambre les reins, lève un pied, s'arc-boute, la main sur la bouche, les sourcils noués, écarlate de délice clandestin et de joie contenue.

— Oh ! Je vous ai fait mal ? Pardon..., dit le docteur. C'est fini, va. Je vous délivre.

Trop vite, il la déserte, la laissant bouillante d'une émotion inouïe, alourdie d'une secrète et fulgurante révélation.

Étendue dans le noir à côté de Patrick, Sylvie réfléchit à son éblouissante aventure. Ce n'est pas le docteur qui l'a bouleversée. Elle a déjà oublié les détails de son visage, ne saurait plus dire s'il était brun ou blond, s'il portait la barbe ou la moustache.

Ce n'est pas non plus son truc diabolique. Patrick a le même, en plus vivant, en presque aussi raide. Quant à la situation... Aussi cauchemardesque que d'habitude, jusqu'aux démêlés avec cette capote récalcitrante, dont elle s'est rendue maîtresse, elle. Ahurissant ! Si Patrick savait... Et puis cette idée que cette chose-là n'était que pour elle, ne devait servir qu'à elle. Une précaution personnalisée, une virginité à elle uniquement consacrée. L'hommage d'un égard, d'une prudence, d'une manipulation qui la protégeaient, qui prenaient en compte sa sécurité, sa santé, son avenir... Après, il l'a jetée, bien sûr. Le souvenir émeut Sylvie, bêtement. Bêtement parce qu'après tout, une capote, c'est comme le papier blanc de la table, comme les gants de caoutchouc du praticien, comme tous les objets qui ne servent qu'une fois, et qui n'ont rien de noble, les Kleenex, les fonds de slips... Oui, mais...

Oui, mais cet objet-là, elle l'a eu en elle, elle en a éprouvé la lisse perfection, la suavité miraculeuse, cette aisance à l'investir, à l'habiter, cette magie qui a métamorphosé l'intrusion redoutée en visitation prodigieuse, et l'intrus en messie...

Un frisson de rétrospective extase lui remonte les épaules, lui serre le ventre. Contre elle, le souffle de Patrick se fait régulier, il va bientôt dire : « Bonsoir, ma puce ». Elle n'aime pas ce moment. C'est comme s'il la quittait tous les jours. Elle heurte d'un pied léger la jambe de son mari.

— Patrick ?

— Hum ?

— Tu sais ce qu'ils m'ont dit, à l'hôpital ?

— Hum ?

— Ils m'ont dit que c'était un blocage. Un blocage psychologique.

— Quoi ?

— Tu sais bien. Ma stérilité. Ils ont dit que je voulais trop cet enfant. Que j'y pensais trop. Qu'il fallait que j'y renonce, provisoirement. Même que je fasse en sorte d'être sûre, archi sûre de ne pas pouvoir tomber enceinte.

Elle ment avec un aplomb qui l'époustoufle elle-même.

— Ils ont dit : « Utilisez un contraceptif, quelque temps. Pas n'importe lequel, bien sûr, pas un qui risque d'aggraver les choses, mais des préservatifs, par exemple ».

Patrick bouge, elle sent l'incrédulité le soulever.

— Qu'est-ce que c'est que ces conneries ?

— Je t'assure ! Pour quelque temps... Après, si ça se trouve, je me débloquerai.

— Non, mais c'est eux qui débloquent ! Attends ! C'est loufdingue ! On veut un gosse et on va mettre des capotes ?

— Quelque temps, Patrick ? Qu'est-ce que ça peut faire ? On a rien à perdre !

Il s'est dressé sur un coude, elle l'entend rire d'un rire sans joie, presque hargneux.

— Dites-moi que je rêve ! Je vais aller lui causer, à ton toubib, moi ! Il se fout de la gueule du monde !

Sylvie accroche à son cou des mains suppliantes :

— Patrick, s'il te plaît ?

Il s'est recouché, il a offert l'hospitalité de son épaule, où elle s'est blottie.

— S'il te plaît ?

Il murmure dans ses cheveux :

— Tu sais, ces trucs, ça me branche pas trop. J'ai trente-cinq ans et j'ai pas dû en utiliser cinq dans ma vie. À vrai dire, ça m'emmerde, je suis nul, je sais pas m'en servir. Rien que de tourner le bidule dans mes doigts, ça me fait débander.

— Je le ferai, moi, dit Sylvie. Je le déroulerai. Tu n'auras rien à faire !

Il éclate cette fois de son vrai rire, joyeux, tonitruant.

— Toi ! Ma pauvre petite puce, va ! Toi ! Toi qui es déjà toute pétrie de retenues, toute barricadée de tabous, toi, dérouler une capote. J'aimerais voir ça !

Six allers simples pour le plaisir

Nuits d'encre

Françoise Rey

Le récit de six nuits torrides, racontées par l'une des plus belles plumes érotiques. Des variations amoureuses qui dessinent un parcours initiatique où la sensualité métamorphose à chaque fois ceux qui ont trouvé le plaisir dans l'équivoque, la volupté et les excès. Au-delà de tous leurs fantasmes, qu'ils soient époux, hommes ou femmes de passage, ils font tomber les barrières, abolissent les tabous, le temps d'une nuit, théâtre de tous les plaisirs.

(Pocket n° 4344)

Il y a toujours un Pocket à découvrir

Toute à toi

La femme de papier

Françoise Rey

Après une torride et fulgurante liaison, une femme écrit à son amant, invitant le lecteur à revivre avec elle ses souvenirs les plus crus, ses émotions les plus folles. Revisitant avec fièvre les heures ardentes de leur passion, elle se perd dans l'évocation des caprices et des fantasmes de son compagnon, et réveille le sensuel souvenir du corps soumis qu'elle lui offrait. D'une plume insolente, colorée des vrais mots de l'impudeur, elle raconte la jouissance physique et mentale au terme d'un voyage érotique mouvementé.

(Pocket n° 3439)

Il y a toujours un Pocket à découvrir

Plaisirs nocturnes

La rencontre

Françoise Rey

Trois passagers de l'Orient-Express profitent de la durée du voyage pour faire plus ample connaissance. Philippe, le séducteur effréné, Christophe, le prêtre défroqué, et Gina, la sensuelle Italienne, se découvrent des plaisirs communs. Aventuriers d'un soir en quête de volupté, ils se livrent, tout au long de la nuit, à diverses expériences, plus agréables les unes que les autres. Qu'ils soient acteurs ou voyeurs, ils livrent le récit de leur désirs et des heures inoubliables où ils s'adonnent au vertige de la chair…

(Pocket n° 3047)

Il y a toujours un Pocket à découvrir

www.pocket.fr
Le site qui se lit comme
un bon livre

Informer
Toute l'actualité de Pocket,
les dernières parutions
collection par collection,
les auteurs, des articles,
des interviews,
des exclusivités.

Découvrir
Des 1ers chapitres
et extraits à lire.

**Choisissez vos livres
selon vos envies :**
thriller, policier,
roman, terroir,
science-fiction...

**Il y a toujours un Pocket à découvrir
sur www.pocket.fr**

Achevé d'imprimer sur les presses de

BUSSIÈRE

GROUPE CPI

à Saint-Amand-Montrond (Cher)
en mai 2006

POCKET - 12, avenue d'Italie - 75627 Paris Cedex 13

— N° d'imp. : 60788. —
Dépôt légal : juin 2006.

Imprimé en France